U0152113

香港猛鬼札記

進入恐怖心寒的迷離世界

　　《網絡靈異故事專集》系列第一期由二零零六年創刊面世，迄今已十多年，堪稱香港長壽的鬼書期刊，涉及的題材非常廣泛，有學校鬼故、猛鬼職業、凶宅惡魅、都市異聞、降頭邪靈等等，自出版以來一直深受讀者的喜愛，部分期數即使再版也差不多售罄，讀者想補購也不行，在此萬分多謝讀者的支持！

　　為了滿足讀者的要求，編輯部特意將《網絡靈異故事專集》重新修訂，全新打造成《香港猛鬼札記》系列，好讓年青的讀者也可欣賞得到，希望大家喜歡。

　　打開本書，一齊進入令人心顫膽寒的猛鬼迷離世界，與惡靈對話！你心臟負荷得了嗎？夠膽接受這挑戰嗎？

香港猛鬼札記。玖

鬼眼凶靈搵替身

書名：鬼眼凶靈搵替身

作者：鬼差

出版：靈媒體（超媒體出版有限公司）

地址：荃灣海盛路 11 號 One MidTown 2913 室

出版計劃查詢：(852) 3596 4296

電郵：info@easy-publish.org

網址：http://www.easy-publish.org

香港總經銷：香港聯合書刊物流有限公司

圖書分類：靈異故事

國際書號：978-988-8670-82-6

定價：HK$68

Printed and Published in Hong Kong

CONTENT

CONTENT

陰陽眼，意即擁有能看見鬼魂的能力。原來有此「特異功能」，也不見得是件好事！天天見到各式各樣的鬼魂，生在陽間猶如活在地獄！在本書中，天生鬼眼的人會分享他們的震慄及駭人經歷。看著他們的故事，您會發現：他們的日子簡直苦不堪言！日夜受盡靈體騷擾，想找人傾訴，卻被人當作精神病，還要避開被靈體侵佔軀體的災劫，真是生不如死！

　　搵替身，俗稱找「替死鬼」或「奪舍」。怨魂野鬼要找到新魂替代自己，才可脫離苦海，藉此「超生」。怨魂找搵替身的方法，可謂無所不用其極，很多惡靈野鬼「寄居」在風高浪急的大海裡、急彎路斜的公路上、屋毀徑荒的廢村內、寂靜無人的街道中、死過人的病牀上、失事過的交通工具裡，甚至你意想不到的地方，例如殘花枯木、二手衣物、舊玩具裡，目的只有一個：就是抓準機會，趁你時運低就取你命；即使你大命不死，也要侵佔你的身軀，成為你軀體的新主人，分分鐘死無葬身之地！

兩次險死的遭遇

—— 故事提供：阿文 ——

鬼，不一定害人；有時，它們之所以存在，可能是要守護著我們在生的人。

如果每個人都有一個守護天使的話，我相信我個守護天使已經出現。我沒有陰陽眼，看不見它的存在；但我卻有陰陽的觸覺，可以感受到它的存在，小時候有幾次都是它救我一命的⋯⋯

險些碌落樓梯，直向石屎地撞去

呢件事發生在我小時候⋯⋯

我姑丈做批發生意，地舖在深水埗，有兩層高，每層大約千尺左右，一上樓梯就係洗手間，轉左係已經過咗身的姑婆間房，行到最尾有間休息室。我和表弟很喜歡在二樓玩捉迷藏，一來地方大，二來周圍放滿貨物，容易匿藏。

有一次，我和表弟如常在二樓玩捉迷藏，不久姑姐叫我落樓下吃點心，要落樓下，就要經過一條樓梯。我要描述一下這道樓梯，它好斜好直，同埋得一邊有扶手，我記得當時其他小朋友一早跑咗落樓下，我怕執輸，也快步跑落樓梯，豈料，失去重心向前傾，而我又無嘢扶住喎，正常情況我應該係會一直碌落樓梯，但奇怪的事發生了⋯⋯

當我向前傾要滾落樓梯時，我覺得有人在後面扯住我件衫，拉番我上去，令我企得穩，但當我企穩時望向身後，

但一個人都無，我係最後落樓嗰個，二樓應該唔會有人……

如果不是「它」及時拉住我，從二樓碌落樓梯，跌在石屎地，一定頭破血流……

貨車沒有剎停，直向我撞來

又有一次，我和表弟在地舖玩踢波，表弟一腳把皮球踢到路中心，我斥責了表弟幾句後就跑去執波，突然，一輛輕型貨車入彎直駛過來。可能當時我蹲低執波，司機因視線關係看不到我的存在，車輛沒有停下來，繼續向我的方向開過來。年幼的我嚇得目瞪口呆，呆呆地蹲在地上，突然一股力量把我推向路邊，就這樣車輛沒有撞到我。我當時回頭四周張望，一個人也沒有，究竟當時是甚麼力量把我救出生天的？

自從那次，我就有了陰陽眼

—— 故事提供：山雞 ——

中一開始，自從發生了那件事之後，我就有了陰陽眼……

話說我中學是在某一所男校就讀，而該男校位於山腳附近，而這座山佈滿墳墓，而我學校的某些課室亦會望到滿山墳墓這些風景，五樓的音樂室更是可以飽覽全景。

自恃童言無忌，向墳場亂說話

那年我讀中一，我和同學們到五樓的音樂室準備上堂，老師未到，就站在門口排隊，那時我口痕衰多口，望住一片給青草襯托下的山墳一路揮手，一路說「嘩！風景好靚，唔知道對面的人見唔見到我在揮手呢？」點知……

夠鐘入課室了，我坐回自己的座位，開始上堂，不久，忽然間有一件事令我打顫，就是無啦啦有人唱歌，大家可能認為，在音樂室有人唱歌有幾出奇！但係這把是好微弱的女聲，我讀男校，哪裡有女仔在唱歌！

奇怪的事開始發生，我忽然見到我前面有白色的東西飄過，好似一張紙巾咁，薄到近乎透明，我當時以為自己眼花，又一度以為是太陽折射錶面造成的光影，但那天是陰天……

不久，又再見佢飄過，有幾次我居然想伸手觸摸佢。

「Johnny，你做乜郁手郁腳啊？」

我的奇異行為引起了老師的注意，為免被當作怪人，我低下頭扮聽書。

但過了一會，我感覺到有人企在我執邊，我抬頭一望，是一個女仔，她正在望著我。

我定睛一看，她的狀態是半透明的，似笑非笑地望住我，我好記得佢同我點一點頭，跟住佢就消失咗⋯⋯

一直到放學都無事，但我一行出學校，見到條街好多「人」，而那些「人」都目無表情的。

自此之後，我開始有陰陽眼，令我從此「大開眼戒」！

與陰陽眼者對談

—— 故事提供：Charles ——

　　我在大學時曾經以「陰陽眼」為題做過一篇論文，並以記者身份訪問了一個有鬼眼的過來人，現在以一問一答的形式把我和這位過來人的對話節錄下來。陰陽眼者所看到的靈體是甚麼模樣的？鬼魂知道陰陽眼者看得見它們，會有甚麼反應？透過以下的對話，大家可解開陰陽眼的奧秘。

問：你可以看到甚麼別人看不到的東西？

答：大多數時間是矇矓的輪廓，可能是臉的一側，也可能是身體的一部分，例如：肩膀、手、腳。偶爾可以看到完整的「人」。

問：除了鬼，還可以看到甚麼？

答：大多數時間是看到鬼，很少時間可以看到神。在掃墓的場合上可以看到祖先。

問：能不能看到天堂？或是其他的空間？

答：不能。

問：在你眼中，鬼神有顏色嗎？

答：神會發光，金黃色的光，而且會給人溫暖的感覺。鬼是沒有顏色的，灰灰淡淡的，比較模糊。

問：看到祖先，你有甚麼感覺？

答：過年祭祖時，可以看到祖先在眾人之間穿梭、端詳，

看看子孫有誰回來祭祀。感覺上也是比較溫暖的，不像一般的鬼會給人不舒服的感覺。

問：一般的鬼，給你怎樣的感覺？

答：冷的感覺，還有渾身不舒服。

問：你身上有沒有帶護身符？鬼怕不怕你身上的護身符？

答：母親有給從廟中求來的護身符，有帶在身上，不過大部分的鬼是不怕、不在乎的，沒甚麼用。

問：你怕不怕鬼？

答：習慣了，而且因為都是模糊的局部，也不可怕。有次去看一間房子，迎面而來一個無頭鬼，非常清楚，我就嚇了一跳，會害怕。那次我真的很害怕。

問：哪些地方較容易見到鬼？

答：廚房，還有密閉式的升降機。如果是那種透明的升降機，就沒有。

問：鬼在升降機裡做甚麼？

答：沒做甚麼，很無聊，它們只是呆呆地跟電梯上上下下。如果知道你看得到他們，會很興奮。

問：興奮？怎麼興奮？

答：很高興的樣子，還會跟你玩，惡作劇。如：突然出現在你面前，繞到你背後，從鏡子裡看你等等。

問：聽說鬼都是沿著牆走，有這樣的事嗎？

答：是

問：鬼怕人嗎？

答：一般都怕，見到人時，鬼會躲開。

問：有看過有人被鬼跟嗎？

答：有，會看到一隻手。就是看一隻手搭在人的肩上。

問：在生活中，有沒有看過熟識的人被鬼跟？

答：有。而且有因果的關係。有次我看到同學肩膊上有一隻鬼手，我知道有事發生了，於是就告訴她騎車要小心，最好不要外出。結果那個鬼很生氣，對我「吹」很強的氣，推我一下，我就不敢再講。最後，那位同學發生了交通意外，幸好只是皮外傷。

鬼眼凶靈孤替身

戒吃燒味的苦衷

—— 故事提供：阿卓 ——

　　我家附近有一間燒味舖，經常客似雲來，原因是師傅入廚手勢好，叉燒燒得香口，有肉汁，表層的蜜糖很滋味，很多食客都是跨區遠道而來的。很多人回家途中，聞到叉燒肉香忍得口唔買至出奇！

　　但，我真的忍到口，因為我天生一對陰陽眼，那次奇異的經歷令我一見到叉燒就倒胃。（聲明：這些純屬我個人經歷和感受，絕無得罪燒爉舖的意圖，請大家注意！）

給無數舌頭品嘗過的叉燒

　　小時候，我喜歡跟媽媽到街市買菜，雖然街市濕漉漉，又有難聞的鹹魚味，但看到各式各樣、五花八門的餸菜，我就很高興了！每個攤檔總會圍上很多人，有人在挑選，有人在講價，好不熱鬧！這天，不知是甚麼日子，街市地下的燒味攤檔圍了很多人，他們在肆無忌憚地用舌頭舔燒味！不論是叉燒、切雞、燒鵝還是燒肉無一倖免，看樣子他們還舔得津津有味。

　　我驚奇地大叫了一聲，向媽媽說：「那些人真不衛生，竟然用舌頭來舔叉燒來試味？！給他們舔過的叉燒還可以吃嗎？」

　　媽媽震了一下，用嚴厲的眼光怒視著我，示意我收

聲！

　　我很不服氣，還以為媽媽只是怕得罪人，所以叫我收聲。誰知⋯⋯

　　那天晚上，我經過父母的房間，偷聽到母親把「很多人舔燒味」的事情告訴給父親，從他們彼此的對話，我知道那天下午我所見到的，不是人，是鬼！

　　偷聽完父母的對話後，小小年紀的我失眠了，我徹底被嚇倒了，我竟然可以見到鬼！

　　從那次經驗之後，我已戒吃燒味了，試想像一下，我們放入口的叉燒，原來早已被無數舌頭品嘗過，還可以吃得下嗎？

頭七

—— 故事提供：Elaine ——

我任職保險從業員，每逢有新人上班，我都會陪他「洗樓」，到商業樓宇逐個單位拍門「兜生意」。

這天，我陪新同事阿 Sze 到一所商業大廈推廣保險業務。不過這種「洗樓式」的見客方式，十單有九單都是失敗而回的，但畢竟是讓新同事磨練膽量的好機會。

果然連續拍了幾個單位的門，都是被拒絕的，連開聲介紹自己的機會都沒有。到了最頂樓，只有一個單位，我們抱著永不言敗的決心，再度去按門鐘，等了一會，應門的是一位老伯。

我親切地向老伯說聲好，然後遞上卡片，告訴他我們有一個適合中小企的強積金計劃。

老伯沒有即時回絕，我鬆了一口氣，有機會說下去，已成功了一半。於是我加把勁落力推銷，並問他貴姓。

「我姓戴。」

「戴伯伯，你好！我繼續介紹一下我們的計劃……」

「噢……鍾小姐，我喺呢度唔話得事，我兒子一小時後回公司，你向他介紹這個計劃吧！」

「好呀，咁我們一小時再回來。謝謝您，戴伯伯！」

一個多小時後，我和阿 Sze 再次拜訪剛才的單位。今次應門的是一個中年男子。

「請問是戴先生嗎？我們是保險公司從業員 ......」

那中年男子呆了半响，問：「我們第一次見面，你怎麼知道我姓戴？」

是開玩笑嗎？是白撞嗎？

「剛才我們見過戴伯伯了，已簡單介紹過我們的保險計劃給他聽，他很有興趣，不過他說你才話得事，叫我們一個小時後再回來，便可以見到您。」

中年男子苦笑了一下，說：「你們在開玩笑嗎？如果是白撞的，請離開吧！」

「不，戴先生！我們沒有開玩笑，也不是白撞，我們剛才真的和戴伯伯傾過，他叫我們一小時後回來找你的。」

戴先生聞言後臉色發白，良久沒有出聲，雙眼不斷打量著我們。時間一秒一秒過去，我和阿 Sze 面面相覷，好不尷尬。

隔了良久，中年男子從褲袋掏出銀包，在銀包裡拿了一張相片出來給我們看，問：「你們剛才見到的伯伯，是他嗎？」

我們點頭稱是。

中年男子嚇得用手摀嘴，雙眼凸出，然後吞吞吐吐地說：「我爸爸剛逝世，今天是他的頭七 ......」

身旁的阿 Sze 已嚇昏了！

我有對陰陽手

—— 故事提供：小豆 ——

有一雙陰陽眼，能看到另一世界的靈體。

很多擁有陰陽眼的人叫苦連天，寧願自己甚麼靈體都看不見，過番正常人的生活；但我就寧願自己有雙陰陽眼，被鬼玩的時候，至少知道是誰在搞蛋，是誰在跟自己開玩笑，投訴有門。最慘是我擁有一雙陰陽手，只能透過觸覺感應到鬼的存在，卻看不到鬼，那種似被鬼整蠱但又無法肯定的無奈感覺比見鬼難受千倍！

晚晚被鬼搣，傷痕累累

大家沒看錯，我也不是打錯字！

真的陰陽手！

最初我經常發夢，夢見一個男人搣我埋面，接著就搣我個嘴巴和小腿，但在夢裡面，我看不清楚他的樣子。雖然夢中的我不感覺到痛，但晚晚夢見同一個男人搣自己，那種感覺都幾恐怖！

後來，情況越演越烈！

起初不覺痛，後來發夢也痛醒！

我開始在夢中都感覺到痛，有幾次還痛醒了！張開眼的那一刻，我感覺到有「人」在側邊，雖然我看不到它，但我感受到它傳來的那股寒氣。

夢醒後瘀傷一撻撻

　　接下來的夢境越來越真實，被撼的痛苦越來越加劇！以前，只至感覺被撼，會疼痛，但看不到瘀痕。但後來，身體多處開始出現一撻撻大約好似五毫子咁大的瘀傷，但係只限於小腿內側，我諗咗好耐，明明瞓前無事無幹，任我點撞都撞唔到咁多瘀傷吧！

　　有時，瘀傷在右小腿出現，接下幾晚，瘀傷就出現在左小腿；左小腿的瘀傷尚未痊癒，左手的瘀傷已浮現了！結果，夏日炎炎，朋友約我去游水，我都只有砌詞推搪，我是啞子吃黃蓮的，若我把實情告訴朋友，朋友一定話我痴線！

　　被鬼撼的情況已延續了一年了，有誰可以幫到我呢？

陰陽眼的慘痛經歷

—— 故事提供：鐵金剛 ——

由六歲開始，我雙眼已與鬼結緣，在過去幾十年來，差不多每日都見到鬼。眼前經常會出現鬼影幢幢。對自己所遇上事已見慣不怪，詐作不知，視而不見。

媽媽以為惡作劇，摑了我一巴！

我第一次見到鬼時，也不知發生甚麼事，當時我住在香港島區某個屋邨，從住宅的走廊看出窗外，發見有很多人在街上擺賣，但他們的衣著十分古怪，與我們平時的衣著有很大分別，而他們的形態看上去似半透明狀。於是我便告訴媽媽，為何有那麼多人在街上賣東西。但媽媽只當我是胡說八道，還打了我一巴掌，之後便拉我回家。

從那時開始，我便無間斷地常與鬼魂見面。

與兄長親睹沒有頭顱的人

在家裡，哥哥最明白我，因為，除了我之外，他也擁有陰陽眼。還記得有一晚，爸爸在走廊打雀鳥，於是我與哥哥便在梯間耍樂。我們站在梯間由下往上望，看到一個身材高大的人。以身材而論，他應該是一名男子，我們一步步向上走，起初我們只能看到該名男子的下半身，後來終於發現那名男子是一個沒有頭顱的人。我們見狀，驚得不能發聲，只好立即掉頭走，跑回爸爸的身邊。這次經歷

香港
猛鬼札記
玖

鬼眼凶靈揾替身

我叫哥哥不要跟爸媽說，因為我不想再給人掌摑。

對於見鬼一事，我很少跟人說，免得被人當作精神病看待，又或者被當作成惡作劇。

恐怖執骨場

———— 故事提供：肥強 ————

鬼能穿過人的身體，亦是無處不在，特別是黃昏傍晚的墳場等地，更是鬼魂出現最多的時段。而人群之中，也不時有鬼魂夾雜。

我在年輕時曾跟一位「執骨」師傅學師，跟他不時出入墳場。在執骨的日子裡，我會站在先人的墳旁，看著師傅工作。

見鬼後病了一星期

有一次，師傅翻開泥土打算將先人的骸骨執出時，我在遠處看到一位婆婆慢慢走近，當時我一看便知道她是靈體。婆婆在我們身旁擦身而去，之後便消失，過了兩天，我和師傅便開始生病，還病足一星期。後來才知道，原來師傅不小心將翻出來的泥土撥在鄰近的墓前，而墓地的主人便是我們當天所見到的婆婆......

受盡排擠的見鬼歲月

—— 故事提供：啫喱 ——

在一次鬼屋探險後，我就此「打開」了陰陽眼，讓我經常被迫直視靈體的恐怖行徑。

參觀鬼屋，換來一雙鬼眼

我的陰陽眼始自於在鬼屋探險時。當時，我是帶頭走的那一個，短短一次的「冒險之旅」，卻讓我看到 3 件詭異事件，分別是卡在細縫的人頭、骨灰壇和身穿紅衣服的長髮女生，當時，不明就裡的我還暗自驚嘆那些「鬼道具」做得如此逼真。

被當「少數民族」看待

事後，我告訴同學這次的鬼屋遊很刺激，特別是某幾位職員扮鬼特別出色，沒想到同學竟告訴我，我看到的，他們一個也沒看到，嚇得我大病一場。

經歷這件事後，我心裡已經有譜。果然，在校內參加交流營的某個晚上，我在花圃見到了三四個飄浮的物體。

它們知道我看得見他們，但仍不當一回事，還繼續聊天。

這麼多年來，我把這些另類東西當作「少數民族」來看。他說：「它們像我們一樣是需要被尊重的。」

一雙鬼眼，讓我受盡歧視、疏離、排擠

自從在鬼屋首次見鬼後，就再也擺脫不了「陰陽眼」這項特異功能，不僅如此，我的見鬼次數更是多得不計其數，連我自己也記不得過去 15 年來的見鬼總次數了。

起初，我心裡非常害怕，而且很掙扎，因為我當時很想告訴旁人我所看到的「東西」，但又怕嚇著別人，而這種兩難局面也令我心裡很壓抑。

不過，在經歷無數次的見鬼事件後，我開始了解「人不犯鬼，鬼不犯人」的道理，而自此開始，我也漸漸不再動輒嚇得渾身發顫。

現在，我對這種情況也已經很坦然，且不會向朋友隱瞞我擁有「陰陽眼」的事實，這顯示我已能接受這項事實。其實，我的坦然是在經過一段掙扎萬分的經歷後，辛苦換得的。

無法釋懷，終患憂鬱症

被一些人視為特異功能的「陰陽眼」，讓我在過去 15 年來的生活深受困擾。由於我經常好心提醒朋友在這裡、那裡有某個「東西」存在，令朋友倍感壓力，紛紛避「我」則吉。久而久之，我因找不到人訴說，心情鬱結，後來更患上抑鬱症。

在就讀大專期間，我曾以為身邊的朋友不會介意，所以直接把我所看到的靈異事件告訴友人，或為了提醒友人

勿冒犯身旁的鬼魂，而出口指明鬼魂所在處，結果，我卻因此遭一些友人疏遠，這些朋友都把我當怪胎看待，朋友這種舉動一度讓我很受傷害，因此，久而久之，我變得沉默寡言，且不敢面對人群。

積極心態面對生死

在消沉一陣子後，我慢慢想通了。鬼和人其實沒兩樣，不過是和我們生存在不一樣的空間而已。在明白這層道理後，我豁然開朗起來，如今我不但以積極的心態面對「生」與「死」的視界，也抱著平常心看待這「少數民族」。

好鬼慈眉善目，惡鬼面目猙獰

15年來，我對靈體已習以為常，沒那麼害怕，不過有時遇到面貌凶惡的靈體突然站在眼前時，我還是會被嚇到。

有一次和老闆出外，路途上有個「東西」迎面而來，嚇得我當場驚叫，令一旁的老闆不明所以。

看靈體看了這麼年，我明白到「鬼」其實也分善惡。不過，靈體很容易辨認，好的就長得慈眉善目，不好的就長得面目猙獰。哪像我們人這樣，心懷鬼胎的人，從外表上根本看不出來，所以，我覺得人比鬼更可怕呢！

原來你見到我……

―― 故事提供：阿晴 ――

你可曾想過會同異度空間的朋友一同共用升降機嗎？我很討厭獨自搭升降機，萬一在升降機裡遇見 …… 鬼，想逃跑都不行，只有硬著頭皮與鬼同 Lift，痛苦地捱過每一秒。大家可能會問，我怎麼知道升降機裡站著的不是人，是鬼？我當然知道啦，因為我天生鬼眼，能看到異度空間的事物。我眼中的鬼，是半透明的，有的沒有下身，有的則呈現死前的模樣，若它生前被斬死的，就會給我看見他血肉橫飛的恐怖神態。

見鬼的生涯一點也不好耍！我實在難以相信，點解世界上會有人千方百計想擁有一對陰陽眼！

我已經忘記了日期和時間，只記得很久以前的一個晚上……我遇到我最難堪的遭遇，就是與鬼同 Lift！

與鬼同 Lift

那天，我如常乘升降機回家，不過今次獨自一人，在整個過程沒有半點意外及驚喜，出乎意料之外的平靜，當到達時我如常步出升降機，一位男士迎面進入升降機，他在我身邊經過時我感覺到一股寒意，當我回頭定神一望時我發現他是沒有下半身的……

我當時給這情景嚇呆了，大約過了一兩秒才懂得跑回

家。

但事情並未完結……

有人等自己回家確實是一件很窩心的事，但若果鬼魂等自己回家，我想沒有人會覺得是一件好事吧……。

自從升降機怪客之後，我一直不願單獨乘搭升降機，因為我總覺得在這個密封的空間內會發生許多不可思議的事情。

但事情往往出乎意料之外，今次他不是坐升降機！

男鬼晚晚等我回家

遇上升降機怪客後，媽媽總會在大堂接我回家，但這趟因她去飲所以我又要獨自一人，從踏出升降機那刻一個比我高一頭的物體移到我面前，我已經低下頭扮作甚麼都不知道，雖然很想行回家，但我的腳完全動彈不得。

「原來你見到我……」

一張給刀劈得血肉模糊的臉

一把男聲鑽到我耳內，天呀！他竟然知道我看到他，我唯有裝作甚麼不知道的模樣，但又不敢向前行，因他正擋在我面前，我真的十萬個不願意穿過他！不久，他才消失離去。

接著，一連數晚，我每天回家總會見到他，慢慢地我開始見到他面容，那是一張給刀劈得血肉模糊的臉，看到後我發狂似的跑回家，而且當晚更發高燒，但自此之後我再也見不到他。

鬼魂留下的塵埃

—— 故事提供：豬朗拿度 ——

　　某次，我到內地工作，當我們入到某間酒店時，我見到酒店四周都是塵，於是便問同行的同事。但他們卻說看不到，反而說這裡十分整潔。我打算叫房間服務員再清潔過，朋友笑我有潔癖，只是小住幾天，不要多多要求吧！我簡直啞子吃黃蓮，有苦自己知啊！

鬼魂所到之處會留下塵土

　　那時我已可肯定，自己所見到的東西屬於靈異界。那是鬼魂出沒後所留下來的塵土，但不是人人都見到這種塵土，要有陰陽眼才看到。由於我們需要在當地工作多天，為免嚇怕別人，我也沒有說出自己所見。

你的食物，可能被鬼吃過……

　　到了深夜時分，我們便到酒店餐廳吃消夜。當時，我發現其中一名同事所吃的魚蛋麵，鋪滿了塵埃，他還跟大家說，這裡的東西味道很差，一點味道也沒有，魚蛋沒有魚蛋味，湯底也是沒有味。我立即知道有點不對勁，於是便叫他不要再吃那碗麵，轉吃其他東西，但由於他不想浪費食物，所以堅持要吃完整碗麵。結果他昏暈起來，還不停嘔吐。

女鬼的惡作劇

—— 故事提供：花膠 ——

某年，我盲腸炎入院，在住院的七天裡，天生鬼眼的我沒看到甚麼；但怪事反而發生在我屋企⋯⋯。

手術後身體十分虛弱，回家後我睡過不停。原本一直熟睡的我不知怎地突然醒過來，我估計當時應該是半夜兩三點，根據多次經驗通常三更半夜無啦啦扎醒都唔方會有好嘢，果然給我估中！

沒有掛鈎，裙子凌空吊起

醒後我周圍望，很奇怪地我見到房門頂上的吊櫃掛咗一件衫，起初我以為自己看錯，因為那個位置沒有任何掛勾，不可能勾上任何物品的，我定睛一看，咦！是一件大碼女裝裙。

裙子凌空自轉

當正我定睛望著這件女裝裙時，它居然自轉，我當時嚇了一大跳，沒有掛鈎的衣服都可被吊起，已是很稀奇了；窗戶已緊閉，衣服還會自轉，是我眼花看錯嗎？於是我再望多一眼，免得自己嚇自己，今次我再睇，佢轉得仲快，我即刻轉身面向牆再大被蓋過頭裝睡，再也不敢再望門口一眼。

當時，我怕得在被窩內不停發抖，涼意遍透全身，頭

皮發麻而且我更覺得有人正望住我,那種感覺真不好受,不知過了多久,忽然感覺到和聽到有人在我床邊徘徊,雖然為時很短但也足夠把我嚇壞。

「咔」一聲笑旋即鑽入我耳內

不久,一把女聲很惡作劇式地「咔」一聲笑旋即鑽入我耳內,它,好像很滿意這次惡作劇的結果,我繼續側身踡縮著睡,不敢有任何動作,亦不敢張開眼睛,強迫自己一定要睡。我就在這驚恐又疲累的狀態下,又重新進入夢鄉。

鬼眼凶靈揾替身

沙灘上的步兵

—— 故事提供：王大夫 ——

中五那年，剛考完會考，我們一班同班同學到郊外宿營。

難得大班人出來玩，誰會早睡？我們在屋內玩 UNO、啤牌、大富翁，玩到零晨兩點鐘，忽然阿如想到海灘吹下風。

硬著頭皮陪她到海灘

我天生鬼眼，知道夜晚海灘是靈體最愛蝸居的地方，我第一時間勸她勿去，但阿如卻堅持要去，還天真地說夜晚的星星特別燦爛，很想坐在沙灘上觀看。

我苦勸不成，惟有自告奮勇說陪她去。

這樣，我倆下了樓，正步行向海灘方向，我看到海灘

▲戰死的亡靈陰魂不散，有陰陽眼的人在夜晚容易見到百鬼夜行……

有一大群「人」，我心裡正覺得奇怪為甚麼這麼早已有大群人？

　　天色太黑我看不到他們的衣飾，我們繼續行向海灘。當我們愈行愈近時我發現了「他們」是穿著制服，那時我還以為是童軍。但是當再行近海灘一點時，我發現那不是童軍，那些人穿的像是軍服，我還看見「他們」正在步操，哪有可能在沙灘上步操？

唉，撞咗鬼都唔知！

　　於是我跟朋友說不如返回渡假屋，她不肯；不停問我為何要回渡假屋，我只說了句不要阻著人家。

　　她居然回應我：「除了我倆，哪裡有人……」

　　我朋友話剛說完，立即心領神會，頓了一頓，立即拉著我跑回渡假屋。

劇中人物跟我對話！

—— 故事提供：智叔 ——

　　某個失眠夜，我離開臥室，坐在客廳的沙發上打開電視機。電視台重播著粵語殘片，我對黑白的粵語殘片無甚興趣，但失眠夜無事可做，於是繼續看下去。起初整個節目沒有太大異樣，但，約莫過了十分鐘後，開始不對勁了……。

　　首先畫面有許多雪花，我猜想可能是訊號接收不良，這也是偶爾會發生的事，因此當下我沒有想太多。緊接著下來，字幕和劇中人物所說的內容大相逕庭，讓我看得一頭霧水。

　　就在我想要關掉電視，回房間睡覺時，家裡的電話突然響起。我接起了電話，不過話筒沒人回話，只有類似電視雜訊的沙沙聲。我又「喂」了一聲，同樣沒人回話，然而，接下來的事件和電視字幕卻讓我毛骨悚然，永生難忘。

「啊甚麼？在說你」

　　我電話沒有掛斷，仍然緊貼耳際，而電視的字幕上突然出現一行字「半夜不睡覺的人」。我歪著頭，盯著電視，隨口「咦？」的一聲。接著電視的字幕又重新上了一行字「咦甚麼？在說你」。

公仔箱裡的人竟開聲跟我說話……

粵語殘片繼續播放，話筒還是重複著沙沙聲，但電視上的字幕卻讓我開始起雞皮疙瘩。我現在是在跟電視對話嗎？可能嗎？是巧合吧？

不睡覺就滾！

就在我百思不得其解之時，話筒那端的雜訊聲突然消失了！

一道中年男子的怒叱聲灌入耳膜，他對我說：「不睡覺就滾！」而電視字幕也幾乎同時間上了同一句話。

接著電視呈現雪花。

也許我打擾了「它」看電視吧，我嚇得丟下話筒，二話不說趕緊跑回房間，倒頭強迫自己睡下去！

裂口的男人

—— 故事提供：智叔 ——

天生鬼眼有幾苦，大家沒有經歷過，是感受不到的！

這是一個令我刻骨銘心久久不能忘懷的經歷。

我擁有陰陽眼已是多年的事，不過近年已經比較少見，我想全盛時期應該是 12-17 歲那段時間。那時我每日每時每刻都會見到，可能你們會不相信，但它們真的無時無刻無處不在。這件事發生在我 14-16 歲期間，那天傍晚，我準備去婆婆家吃飯。婆婆跟我們住得很接近，去她的家只需要徒步 15 分鐘便可到達，有時我會跟弟妹一同前往。但有時也會獨自一人前往，剛巧那次我是獨自一人前往。

笑到嘴巴都裂開了

奇怪的事開始發生了，大門口旁是一個花槽，只是我稍稍抬頭便可以清楚地看到花槽內的一切。

為了避鬼，兩年抬唔起頭做人！

那時我見到花槽內有一個「男人」正在看著我。正當我奇怪著為甚麼一個星期日的黃昏會有人躺在大廈的花槽時，他竟然……對著我笑，於是我也目不轉睛的看著他，但我發現他的笑意愈來愈濃，而他那張嘴亦變得愈來愈大……大到兩邊嘴角可以掂到耳仔，而且嘴角還流血……我被這個情景嚇到在行人路上嘔了出來。從此之後，我每次出門，都不敢望向花槽，足足兩年不敢抬起頭做人。

「裏面有人 ......」

—— 故事提供：西方不敗 ——

有次參加電台節目遊戲，僥倖贏到某間戲院的兩張電影劇票，那一間戲院我之前沒去過。抽到電影票後相當興奮，找了朋友一起去，當時電影還未開始，我就和朋友到附近逛街，逛到一半時，朋友告訴我，她叔叔有陰陽眼，有次在這個購物商場的 B1 看見大量的靈體，我當時聽了笑笑，沒放在心上。

與鬼排隊 ......

沒想到在電影播放時間，朋友哭著告訴我她不要看了，我死拖活拖地挽留她，但她就是嚷著要走。

以為是整蠱，遭人連番白眼

唉，好吧！不看就不看，反正戲票是免費的，不看也

▲廁所是靈體的集散地，小心有人無出啊！

不會太肉痛！於是我答應提早離場，但想先去廁所一會。

　　我跑去廁所，當時我進去的時候沒人在排隊，但是每一間裡面都有人，我還敲了敲門，裡面有聲音話「有人」。

　　我等了一會，身後也開始有人在排隊，等來等去，都沒有人走出來，我後面的小姐大概沒耐性了，就直接走進某一間廁格，當時我嚇到了，想說「裡面有人」，就在我驚疑未定的時候，後面的一個大嬸也依樣畫葫蘆，直接往前走，經過我身旁時還忍不住白了我一眼，嘴裡唸唸有詞說甚麼擋路之類的，接著她又走進廁格了，一間又一間有回話「裡面有人」的廁格，全部都被打開了，裡面竟然沒有人，等候的人進入廁格之前都白了我一眼，覺得我大整蠱。

　　我已嚇得頭暈目眩了，跌跌碰碰地推門離開廁所。

叔叔，我要吃朱古力

—— 故事提供：皮蛋 ——

2009 年 921 大地震，為 20 世紀末期台灣傷亡損失最大的天災，我是一名義工，有份參與救援工作，亦在災場遇過一些靈異的經歷。

9 月 26 日，南投又發生 6.8 的強烈餘震，由於劇烈的搖晃，當時我便判斷應該會有傷亡發生。果然隨後救護車就送來一位被倒塌圍牆壓死的少年。

我向少年的靈位上了一支香，就離開了忙其他事情。忙了幾小時後，我坐下來休息一會，忽然眼前浮現了那位少年清楚的臉龐，並且還開口向我說：「叔叔我要吃朱古力」。

我這時才猛然想起自己忘了為那位少年的香爐換香，我趕快爬起來跑到那少年靈前，只見原來的香已經燒到只剩下一點點，馬上為那少年上另一支香，並合掌說道：「小弟弟，對不起，叔叔太忙忘記幫你上香，我明天去買朱古力請你吃。」

隔天，我便派人去買朱古力回來拜祭那少年。

後來少年的父親帶了一些禮物回來答謝我，看見朱古力便很訝異的問道：「咦，你怎麼知道我兒子喜歡吃朱古力？」

我當時不忍心把真相講出來，所以只說是請人隨便買的。

父母的毒打

—— 故事提供：西方不敗 ——

「陰陽眼」，相信這個詞語大家已經耳熟能詳了吧。可是你真的能體會具有這項「特異功能」的人，他的心路歷程嗎？

我就是深受其害的人。

你可能問，天生鬼眼可以見到異度空間，不是很刺激嗎？讓我說個小故事給你聽吧。

從小，我的左眼就能看見不尋常的東西。但是那麼小的我，又哪懂得區分甚麼是現實，甚麼是靈異事件。讀小學一年級的時候，有次父母去學校接我，卻找不到人，急得差點報警。回到家後，卻見我神情自若地在家裡看電視、吃零食，爸爸氣急敗壞問道：「你怎麼回來的？」

「是外婆帶我回來的呀。」天真無邪的我，笑著回答。沒想到爸爸居然像是發了狂，拿起棍子對我就是一陣毒打。

「你這野孩子，跑去玩就算了，還扯這麼大的謊。」

被打得莫名其妙，我也只有哇哇大哭。

後來才知道，原來外婆早在二年前就已經死了，也難怪爸爸會發這麼大脾氣。

從此我也懂了，對於左眼看到的事物，不再輕易告訴別人。

喂，唔准你瞓呀！

—— 故事提供：一個好人 ——

我好肯定不是發夢，是千真萬確的發生了！

那晚，我睡著時，那些討厭的聲音再次在我耳邊響起，又是一大群人在說話，雖然我聽不清楚它們在說甚麼，但是我知道它們真的談得頗興高彩烈。

接著，我感覺到有物體坐在我的床尾，是那種真是有個人坐在床尾的感覺。

那時我只是想到「唔係呀，我還想瞓」，但是它們越來越過份，我開始聽到聲它們在我床邊行來行去。

靈體知道我看到它，開始 ……

過了大約一分鐘，那種冷冰冰的感覺又來了，我最怕就是這種感覺。

我覺得它們好像正在盯著我，我鼓起勇起開眼一看，噢！是一個女人正看著我，它知道我看到它，開始肆無忌憚起來，在我的床上玩彈跳，彈吓彈吓，其他同伴見它玩得興起，也跑到我床上一起跳。

這一刻，我全無主意，不知怎辦？就在我惶惶無助之時，不知情的細佬門也沒敲就闖了進來，話要借電腦用，平時，我對不敲門就走進來的細佬一定臭罵一番，但這晚他仿如救星，床上玩彈跳的靈體「呼」一聲消失了。

個男仔望住我哋呀！

—— 故事提供：雞寮阿叔 ——

　　記得小時候，有一天，我跟父母一起外出吃飯，一入停車場，我見到很多「人」聚集。我天生鬼眼，一看就知道是甚麼一回事，但我一直都無出聲，當爸爸泊好車準備落車時，我見到有個好奇怪的情景，隔離一輛私家車的後座有個男仔，私家車門已緊閉，裡面全無冷氣，若身在其中一定被焗死，還記得日本有個大意的媽媽把兩歲的孩子遺留在車裡，結果在全無冷氣的情況下，加上炎熱的高溫，孩子監生被焗死！

　　那個男仔是否被父母遺留在車裡？

　　我繼續定睛望著那架私家車的後座位置，媽媽走來問：「你做乜係咁望住人地架車？」

　　「有個男仔喺車度呀！」

　　「吓，有個男仔？」

　　「係呀，佢屋企人無帶佢走，留低佢喺車度呀！」

　　媽媽走上前去，看個究竟，然後匆匆轉身跑過來，臉色蒼白地說：「無呀，邊有人呀，快些走吧！」

　　我估我阿媽知道乜嘢事了，但我好唔識死咁回頭望，仲要加多句：「媽咪，個男仔望住我哋呀！」

　　媽媽沒有作聲，用力拉我離開停車場。

她未死啊，還在盯著我們

—— 故事提供：智叔 ——

我第一次見鬼時是小學五年級，那年祖母去世了。

祖母去逝世了！

那年，我還記得放學回家，見到媽媽哭得很厲害，連晚飯都沒有造。我問媽媽發生甚麼事，爸爸走過來撫摸我的頭，說：「乖孩子，因為祖母生病，一病不起了，所以媽媽才哭。」

祖母還好好的坐在這裡，還未死啊！

我歪著頭，好像明白卻又不明白，我蹦蹦跳地跑到母親身旁，拉了一下她的衣角，說：「媽媽，不用哭了，祖母還好好的坐在這裡，還未死啊！」

當時父母有甚麼反應，我已不記得了，只記得祖母出殯當日，父母把我交托到朋友家，不許我隨行。

後來，我才知道，我眼中的世界跟別人的世界不一樣，見鬼已成了家常便飯了。只是父母不斷告誡我，見到甚麼怪異的人或鬼，不要靠近它們跟它們說話。

否則，鬼會跟著我……

巴士上嬉戲的小鬼

—— 故事提供：Dancer2011 ——

我從 6 歲開始就有陰陽眼，一天晚上搭巴士時，赫然發現一名年約 9 歲的小男孩在車上嬉戲，但全車人卻無動於衷，車長也沒有反應。

我從上車開始到下車，小男孩就在車長的駕駛席旁在玩鬧，全車的乘客無人阻止。

男孩對著車長說話，但車長卻一點反應都沒有。

小男孩除了對著車長說話外，還在車頭流連，不時喃喃自語，說自己在駕車，後來更坐到我身旁「數人頭」。

我之所以肯定他不是「人」，因為他沒有腳 ⋯⋯

小鬼巴士車上「數人頭」

小男孩曾向車長說話，但車長沒有反應，之後還坐在我旁邊，開始點算上車的人數：「一個人、2 個人、3 個人⋯⋯哇這麼多人！」

我雖然看到小男孩，但並不想多事，但事後男孩發現自己看得到他後，還主動跟我玩耍。

還記得男童身穿灰色外套，發現我在看他後，他曾經還害怕了一下子，後來卻跑來和我玩，把衣服拋給我，但我不理會。

小鬼知道我見到它 ......

　　他在巴士上約 7 分鐘裡，不停吵鬧著，間中有 2 名乘客曾朝男孩的方向望去，他們是否也看到靈體的存在？我不敢去證實。

　　直到我下車，小男孩都沒有停下，也沒人阻止他。在車上，還有一名華人和印度人，曾一度向男孩的所在地望去，但卻沒有任何反應，我無法確認他們是否也有看到男孩。

小時發高燒過後開始見鬼

　　我小時候發過高燒，之後就有陰陽眼，但起初都只是白色影子，直到那年，我才漸漸看見人模人樣的鬼魂。

　　我之前看到的都只是白光，後來越來越清晰。這些鬼魂有些是踮腳走路、有些還是腳踏實地的。我之所以確定自己能見鬼，除了自己以往的經歷外，主要是因為周圍朋友都看不到。

　　我有了陰陽眼十多年了，不習慣的早已習慣了，我亦開始接受現實，還研究起鬼魂來。我發現，即使有陰陽眼的人，也看不到鬼魂的腳，但鬼魂卻是有腳印的，因此回魂日，才有在家撒麵粉，看往生親人是否有回來的習俗。

有人拉樓梯口等你……

—— 故事提供：皮蛋 ——

　　我和丈夫都沒有陰陽眼，偏偏卻有一個天生鬼眼的女兒。話說有一天，女兒跟我們一起去掃墓，祭品中有龍眼，大家拜著拜著……女兒開口說了一句話：「媽媽，你去拿掃把來這裡掃一掃，你看他們都把殼亂丟啦！」

　　大家不發一語，因為只有她才看得到那一堆所謂的「垃圾」。

　　有許多次，我載著女兒打算出門去逛逛街，女兒總會突然發出一聲說：「媽媽，快停車，有人站在那裡，妳會撞到她！」

　　我剛開始被嚇了好幾次，後來告訴女兒下次看到別說話，安安靜靜的就好了，所以女兒都是等到回家了再跟我說在路上看到的事。

　　還有一次，我載著女兒出門，路邊有間餐廳在裝修，女兒經過那裡時高興地跟我說：「媽媽，你看那裡很多人在吃飯，咁多人幫襯，一定很好味！」

　　我暈眩了一會，天啊！那間餐廳還在裝修，只有工人在那裡，哪有食客在吃飯！？

　　有次鄰居的祖母過世了，女兒不知道，一晚，女兒跑去鄰居大喊：「喂，你嫲嫲回來了，她好像不太舒服，坐在樓梯上，你們去扶她吧！」

　　大家面面相覷，也只能不出聲……

鬼，要見足一世！

—— 故事提供：大蕃薯 ——

我一個朋友從小有陰陽眼，我們很怕跟他出門的！每次出門他都是語出驚人，玩到高高興興的，他突然臉色一變，我們就知道有不速之客出現了！然後他就會告訴我們看到甚麼，每次我們都給他嚇到！我們更怕他來家裡作客，怕他講家裡有甚麼的，就頭痛了！有時跟他出門走走，他突然拉開我們，就知道有東西經過！也會被嚇一下！

小時候他媽媽不知道他有陰陽眼，每次他都跑去觀音廟玩，每次廟主起乩請觀音，他都會跟媽媽說看到觀音娘娘坐在神桌上！他媽媽就以為小孩子亂講話，看見神桌上的觀音神像就說看到觀音，也沒去理會！其實他是看到廟主起乩時觀音娘娘從天而降，然後坐在神桌上幫善信治邪驅鬼！過後他跟媽媽說看到很多奇奇怪怪的人，尤其是七月時特別多！他媽媽才知道他有陰陽眼！

小鬼搭順風車

他小學時，每天坐巴士上學都會看到小鬼搭順風車！每次在雜貨店一上車，小鬼就跟著上車。小鬼上車後就坐在巴士最後面的座位！就算有人坐，它就坐在那人的腳上！七月時更恐怖，各種各樣的鬼都來搭順風車！他說巴士停下它們才上車的，只要它們要下車，就算巴士走著，

玖 它們也會穿過巴士的門跳車!

見證靈體回魂

　　有次他看見隔壁家的婆婆在門口徘徊,他就跑過去問婆婆發生了甚麼事,婆婆也沒理他,好像看不到他一樣!當時他覺得婆婆怪怪的,過後他看見婆婆家裡的人在門神封上紅紙,裡面的人在拜祭才是知道是辦喪事,原來是隔壁的婆婆去世了!他看見老婆婆的大頭相,而老婆婆的靈魂就在旁邊望著自己的遺照!他終於知道老婆婆為甚麼怪怪了!原來老婆婆剛才在門口徘徊,是因為門神還沒封紅紙,她進不了家!

鬼眼凶靈搵替身

觸不到的恐懼

—— 故事提供：絕望天使 ——

見鬼，不是恐怖；最恐怖的是，你的朋友見到，他還繪形繪聲地給你形容一番，但你卻甚麼也看不見！

我在澳洲讀書時，和一個朋友 Carlos 同房。他擁有見鬼的能力，可以看到和跟靈體溝通。據 Carlos 所說，每天晚上當他上床睡覺時那些東西就來騷擾他。它們會故意發出巨大的聲響，例如在屋頂上來回不停的走動，大力敲打牆壁等等，每次來時都一定會鬧上個多小時才肯罷休。最可惡的是，它們每次都是等到 Carlos 幾乎睡著了才來鬧，所以讓他覺得很困擾。

Carlos 曾對我說，房裡總共住了兩隻鬼，一隻經常在廚房出沒，另一個則喜歡待在客廳。在廚房的男鬼約有四十五歲了，沒有害人之心，可是那隻約三十來歲的女鬼就特別喜歡搗蛋，那些吵雜聲都是它弄出來的。

Carlos 還說，它們兩個都是道地的澳洲人，我聽著聽著終於忍受不住了，叫朋友不要再說下去。天啊！他在房裡面的所見所聞，作為同居密友的我完全感受不到！給我看見，那種恐懼還實在些；但看不見，觸不到，那種無形的恐懼還更可怕！

後來，Carlos 找來一位神父，為房間驅鬼，很神奇！自此之後，Carlos 就沒有再受到騷擾了，而我才真正的「安居樂業」。

歷險 3 小時

—— 故事提供：阿 J ——

朋友阿 J 同我一樣擁有陰陽眼，我們曾經一齊撞鬼！

話說當年十五、六歲左右，當時正值清明節，而阿 J 就同一班同學仔去行山作另類探險，地點是箕箕灣的某個山頭，阿 J 很熟這個山頭，細細個已通山跑，簡直合埋雙眼都懂得上山落山，所以他熟知這個地方的鬼怪事！

那天，我們從山腳開始行，兩邊都係樹，望上去會見到山頭，再上小小會見到一間屋，正當大家上山之時有個男人反方向落山。

被陌生男子怒睥

男人四十零歲，頭髮稀疏，著紅色衫褲，運動鞋同埋戴個 headphone，本來都無乜特別，但奇就奇在呢個男人一路行就一路用不友善的眼光怒視著阿 J，阿 J 生性火爆，俾人這麼怒視著，他就發火了，說：「你睥乜嘢呀！」

男人沒有答話，只是繼續怒視著阿 J。

阿 J 繼續發炮：「有種的話，一陣間在山下等，隻揪吧！」

但無幾耐……

我們見到那個怒視阿 J 的男人企咗喺間屋頂上面，仲對住我們陰陰嘴笑，這種笑法令人不寒而慄，臉容僵硬，

但嘴角向上揚，最攞命係個男人個頭 360 度咁轉咗一次，嗰一吓個個都嚇咗一跳，因為好明顯他是 ...... 鬼！

此時，阿 J 就同大家講：「大家仲上唔上山？如果上去我都唔敢包會有乜嘢事發生！」

有鬼跟住你，上山難，落山更難

於是大家決定落山走人，就在這個時候，唔知點解阿 J 覺得身後好寒，於是回頭一望，原來剛才忽然企在屋頂的男人貼實阿 J 個背脊！

大家見狀，嚇得一仆一碌，阿 J 隱約聽到有人說：「你 …… 唔 …… 係 …… 想 …… 見 …… 我 …… 同 …… 我 …… 隻 …… 揪 …… 咩 …… 做 …… 乜 …… 走 …… 呀 …… 」

根據阿 J 的形容，聲音是鑽入耳仔的，好像在空洞地方度講嘢，回音蕩蕩。

繼續上山，又唔知會發生甚麼事；

落山，男鬼又死纏著；

就在眾人手足無措之際，他們見到一輪貨車經過，阿 J 帶領眾人向左邊逃跑，避開男鬼，接著，向貨車的方向奔去。眾人要求司機接他們落山，司機爽快地答允，成功助大家逃過一劫！

險被搵替身

—— 故事提供：阿J ——

不知道大家還記不記得當年蘭桂坊踩死人事件？

其實經過呢件事後，我已經很少踏足這個地方，但想不到這個地方怨氣咁盛，事隔幾年後竟然會俾我遇到她。

話說有一天我和朋友一行數人，計劃找一間酒吧坐下來傾偈，我們一路行一路四圍望，正當大家行到某一間酒吧附近，我忽然覺得有人望住我，當時我係面向山上個方向，果然不遠處有一個女仔企咗喺度，視線係望向我們。她穿著一條花裙，樣貌清秀。

我們繼續向前行，與女仔的距離越來越近，我可以近距離再望一眼剛才見到的女仔啦！她目無表情咁，頭髮好亂，但原來裙上的唔係花紋，而係一個個腳印！最恐怖的是，我見佢慢慢移近我，正確來說，是飄向我⋯⋯

朋友開始覺得我有異樣，其中有位死黨知道我有陰陽眼，知道我一定是又看到靈體了，二話不說就拉我走了！

現在回想起，好彩朋友及時把我拉走，若果當晚我是一個人去蘭桂芳，會否被她睇中，搵咗做替身？

只剩下一個頭

—— 故事提供：阿 J ——

三年前我因一次交通意外，右腳骨折，要入院治療。

住院那一個星期，腳痛入心，使我晚晚難以入眠。每晚要靠安眠藥，才勉強能夠睡上兩三個小時。

以為是病友，點知……

有一晚，就在我睡到朦朦朧朧之際，隱約望到有個男人望住我，我們對望了一至兩秒左右，起初以為他是病人，想走過來慰問一下我，我微笑著向他打招呼，但他目無表情，幾秒後就消失於空氣中！

他的突然消失，把我嚇得一身冷汗！

好不容易捱到第二朝，我忍著痛楚，拿著拐杖蹣跚地走到電話亭致電給弟弟，要他來加床陪睡。就這樣，有弟弟壯膽，我才捱過一個月的住院期。

鬼眼凶靈搵替身

斷首、斷手腳的士兵

—— 故事提供：阿笨 ——

Joey 從小就擁有陰陽眼。雖然自小見慣靈魂，但是她未曾因忌諱而不談及鬼怪事情。

被百年幽魂嚇壞

以下是 Joey 的自述，講述一次遭百年靈體糾纏的經歷，她坦言，險些被這次經歷嚇破膽！

某年，我與父母到外地旅行，一走進酒店房間，我就感覺到「他們」的存在，但我強作鎮定，強迫自己不去理會，還吃了兩顆安眠藥迫自己快點入睡。

不過，在第二個晚上時，我真的被嚇到，因為看到數十位斷首、斷手腳的士兵圍繞著我，彷彿就是要把我給趕出去！我真的被嚇到了，大聲地叫媽媽救命，根本不敢張

▲一些歷史悠久的酒店，容易招惹靈體進駐……

開眼睛呢！」

她說，那些靈魂彷彿不怕我和媽媽所唸出的經文，所以只能向學過道的爸爸求助了，要求祖師爺現身和他們「談判」。

祖師爺出面談判解圍

當時祖師爺出面談判，並很清楚地告訴那些百年靈魂，我們一家只是路過住在這旅店，而不是要來霸佔這個空間，所以不要來騷擾。

所幸，當時那些百年靈魂也同意不再騷擾我們，但是我們卻沒有膽量再多住一晚了，隔天天亮時就即刻搬走。

儘管那次的經驗被靈魂嚇壞，我也不責怪它們的舉動，因為它們也是很無奈地被困在該處多年無法獲得重生，發現有人入侵地盤時，難免會做出舉動來保住地盤，避免「流離失所」。

電話干擾

—— 故事提供：灌水王 ——

我相信無人鍾意做別人的話柄，其實靈體都一樣，它們都不想成為我們人類茶餘飯後的話題，

出「手」警告……

它們不能出口阻止，惟有出「手」警告……

這是天生鬼眼的我的親身經歷。

某年暑假，我們一班三五知己約埋一齊去宿營。

大家在宿舍裡飲飽食醉後，各有各玩，有人玩 UNO，有人玩 NDS，其中阿芬卻致電給男朋友綿綿情話。阿芬男朋友就讀我們隔離校，因要準備考鋼琴試，家人不准他去露營，一日不見仿如隔了三秋，阿芬這個電話粥一煲就煲了兩小時，好像手機有用不完的電力，有用不完的分鐘，兩人有說不盡的話題……

忽然，兩人傾到好像沒有話題了，阿芬竟提議說鬼故。阿芬平時喜歡看懸疑鬼怪小說，腦裡早已儲了很多鬼故的材料，她開始說鬼故不久，忽然高聲叫嚷：「喂！喂！喂！阿俊——！電話沙沙聲啊！」

阿芬又繼續剛才未說完的鬼故，隔了一會兒，阿芬又高聲叫嚷：「喂！阿俊——！電話沙沙聲，我聽唔到你講嘢啊！」

基於連對方把聲都聽唔到，話題根本無法繼續，所以

阿芬講咗句:「唔講喇!干擾成咁點講喎!」話音剛落,電話又回復正常了。

　　正當阿芬又開腔繼續說鬼故時,強勁的沙沙聲又再出現,又再一次中斷兩人的對話,當時,我在阿芬身邊聽到整個過程,便小聲地叫阿芬不要再說鬼故,說其他話題吧,阿芬知我有陰陽眼,見我神色有異,這刻也心領神會了,於是便刻意高聲說:「好啦,我唔講喇!唔講鬼故啦,講其他嘢啦!」

　　話咁快,電話再次回復正常了。

祖先回來探你

——— 故事提供：MC強 ———

今天說的事情其實不是故事，而是壓在我心裡快 30 年的煩惱，除了我至親的人，很少有人知道。

那就是我有陰陽眼。

所謂「陰陽眼」，就是能看見鬼魂等其他人看不見的超自然現象。而我確實能看見人們嘴裡所說的鬼。

真正知道自己有陰陽眼的時候我才 10 歲。

那年夏天，天氣很熱。我家是在鄉下，那時候根本沒有甚麼空調，家裡唯一的電風扇被爸爸用了，我半夜實在是睡不著。於是就走到樓下廚房。廚房裡有一張很大很大的圓桌子，我就拿了個枕頭，躺在上面睡。

桌子很涼，我很快就睡著了。不知道過了多久，被尿憋醒了，但是實在嗜睡，就一直憋著不想起來。朦朧中，我彷彿看見自己的旁邊坐著個人，背對著我。看背影是個老太婆。那時候我想肯定是祖母。因為祖母一直有早起念佛的習慣。於是我就輕輕的喊了一聲：祖母。可是那人確沒回答。我又喊了一聲，聲音明顯大了很多，可以那人還是沒有回答。

我以為祖母不理我，就爬了起來。湊過腦袋，湊到她的耳朵旁邊去喊她。可是當我湊近的時候，發現，那人好像不是我祖母。

低垂著頭，臉無血色 ……

那人低垂著頭，面色慘白，幾乎沒有血色，臉帶慈祥，長得很眉清目秀。頭上梳著和祖母一樣的髮。還戴著我沒看見過的包頭，衣服是黑色的，對襟的老衣服，因為祖母也有那樣的衣服，所以我認識，但是那人確實不是我祖母。

因為那時候年紀小，根本不知道甚麼叫鬼。再說根本沒想到自己家裡怎麼可能來個鬼呢？我還在叫：祖母。可是那人連眼角都沒看我，只是低著頭，我慢慢有點怕了，便大哭起來。

曾祖母回來探你 ……

樓上的家人被我驚醒，以為我掉到地上摔倒了，都跑下來，但是當看見我好好的坐在桌上的時候，都很納悶，問我做甚麼，我都只是哭不說話，一直到第二天，爺爺問我，我才把事情明明白白的告訴大家。大家都覺得我是在做夢，只有爺爺在那沉思。最後爺爺說：「根據你的描述，那是我的媽媽。也就是你的曾祖母，你說的衣服就是她臨死的時候穿的，可能是看見自己的子孫睡在那麼高的桌子上不放心，在旁邊照顧吧。」

於是隔了一天家裡就買了很多東西，公祭祖先。

靈體的顏色

—— 故事提供：峰哥仔 ——

有人說鬼是白色，有人說是青色、紅色，我自小有陰陽眼，親眼見過不同顏色的靈體，大家知道嗎？不同的顏色，代表鬼不同級數的怨氣和精神狀態。

我翻查過很多資料，亦請教過很多專家，得出以下結論：大致上可以分為六種顏色鬼，怨氣指數以 5 最高，1 最低：

灰心鬼（灰色）

怨氣指數：1

為甚麼這種顏色：泛指一些排隊投胎的鬼，是最常被人所見的。

誰會撞到這種鬼：其實他都不想給你見，只是這麼巧你和他腦電波搭上，才可見其形其相。

白衫鬼（白色）

怨氣指數：2

為甚麼這種顏色：通常是新魂，就是剛剛死了不久的人所化成，一般不會對人有傷害性，其怨氣也不高。

誰會撞到這種鬼：見到只怪你時運低，不過他無啦啦都應該不會搞你。

黃頁鬼（黃色）

怨氣指數：3

為甚麼這種顏色：死者死因和物質有關，例如因破產自殺、被劫殺的人死後就變黃色。

誰會撞到這種鬼：那段時間被金錢或物質生活問題所困擾的人，會特別容易見到。

黑影（黑色）

怨氣指數：4

為甚麼這種顏色：黑色的鬼，通常都是由一些因惡病或鬱鬱不歡致死的人而變成，不過也有人說是一些枉死而怨氣重的鬼想找替身時出現的形態。

誰會撞到這種鬼：有疾病的人，見病死鬼命中率高些。

厲鬼（紅色）

怨氣指數：4

為甚麼這種顏色：據說枉死或因感情問題自殺或至死的人就會變厲鬼，不過坊間所謂穿紅衫自殺會變厲鬼其實是錯的！因為死時穿咩衫，也無關是，是要看怨氣有多深哦。

誰會撞到這種鬼：那段時間有感情問題，被情所困而使時運低者，見的機會較高。

攝青鬼（青色）

怨氣指數：5

為甚麼這種顏色：鬼法力最高者，能吸人靈氣、令人短壽，還可化成人身，穿牆過壁，又可以日間現身，移動對像以達其目的。

誰會撞到這種鬼：做得壞事太多，甚至乎是傷害過人生命的人會特別容易撞，小心給他找替身哦。

趕住去投胎

—— 故事提供：峰哥仔 ——

一個炎熱的暑假，我同細佬玩電子遊戲機，忽然我見到門口有嘢閃過，望出去……咦！有個男人喎，仲要係四眼的，呢個唔係重點，重點係佢好趕時間，仲要無下半身同埋佢只得一隻色，就係綠色！見佢極速衝入牆度，睇佢個款好似好趕時間咁，好似趕住去投胎。

每天 3 點 15 分總會見到靈體……

我自小有陰陽眼，對於靈體，已見慣見熟的關係，所以我都無咩特別大反應，我思量了一會就再次專注打機。如是者到第二日，我和細佬又繼續激戰，大約下午的 3 點 15 分，又見到一個黑影極速咁衝向道牆。

到咗第三日的 3 點 15 分，我金睛火眼咁望實個門口，睇下有沒有靈體衝入牆，果然，很準時！個鐘一搭正 3 點半，又有靈體衝入牆身，它對準目標就衝過去。

有一天，我把每天下午 3 點 15 分的奇遇告知媽媽，媽媽面色一變，自此開始，我屋企度門喙 3 點鐘就要閂埋佢，唔準開啟，無眼屎乾淨盲。

暑假之後，我無再見到它了，可能是靈體已投胎去了。

我的狗兒有陰陽眼

—— 故事提供：牛精王 ——

我和四兄弟姐妹和父母住在一個九百尺的單位，全家只有我和家狗有陰陽眼。陰陽眼者的痛苦，只有狗兒阿蚊最明白我。其實，是不是所有狗隻都有陰陽眼，還是獨有阿蚊天生異品？

晚晚狗吠叫，被逐狂哀嚎

曾經在許多個晚上，試過夜半時阿蚊突然不尋常地嚎叫，把全屋人嘈醒。屋企人不知就裡，都會打罵阿蚊，甚至趕阿蚊出騎樓，不准牠留在客廳。但每次阿蚊被人趕出騎樓，牠都會出力反抗，又會悲慘地嗚嗚地叫，彷如在垂死掙扎，哀嚎求饒。家裡只有我一個人明白阿蚊有說不出的苦衷，每次我都會出面解圍，帶阿蚊回自己的房間，扭著牠睡，「相依為命」地渡過難捱的晚上。

有一雙陰陽眼有幾苦？只有狗兒最明白

人家都說狗的眼見到鬼，真的嗎？其實，狗的聽覺和嗅覺均比人類強。一般的家狗嗅到陌生氣味接近你家也會吠叫，假若牠們嗅到靈體接近或留在你家也會狠嚎般叫過不停，並且叫得很恐怖，就表示……

1. 聽覺說：狗能聽見人耳不可能聽見的超音波。靈體活動時發出輕微的音波及令空氣輕微流動，狗天生的警覺

性告知牠有異樣，牠們便會嚎叫以示警告。

　　2. 嗅覺說：狗的嗅覺十分敏銳，據估計狗可以聞到 500 公尺遠的味道，至少比人靈敏 50 倍以上。中國人相信鬼會只「吸香燭」來填肚，靈體身上帶有香燭氣味令狗兒注意。因此在路邊或墓前的祭品，流浪狗絕不會吃，因為祭品留有靈體的氣味。

　　3. 視覺論：狗的視覺顏色是黑白的，傳聞狗眼中的靈體是彩色的，彩色令牠們恐懼，令牠們產生很大的反應，所以會發狂地吠叫。

冤靈陪人份度假

—— 故事提供：玉皇大帝 ——

　　長洲的度假屋，多年來曾有不少鬧鬼傳聞，當中以一對母子冤靈最廣為人知。當年，一名失婚母親，帶同兒子租住長洲某度假屋，她在屋中殺死兒子後，再身穿紅衣自殺。不過，原來除了他們之外，在長洲還有另一對母子鬼魂，棲身在度假屋中。

　　我自小已擁有陰陽眼，從八歲開始，看見靈體對我來說，是家常便飯。不知有多少個晚上，我飽受靈體騷擾而難以安眠。那些靈體，大多是想我幫他們辦事，像要求我代為傳話予家人。曾有一段時間，我需要在床前放置筆記簿，以抄下「他們」所需，再盡力完成他們的心願，很來，我終於應接不暇了，惟有找師傅替我封眼。

小鬼索菜味

　　1990 年，我仍未封眼，某次我和家人到長洲玩，入住一間度假屋，當晚便見到一對母子冤魂。其實，我甫入屋，已感到不妥，還聞到一股霉味，似是很久沒人入住。安頓後，我的弟弟把 BB 放進房裡，但沒多久，BB 便無緣無故喊個不停。我入房一看，原來有一個小孩靈體在搣 BB，但我深怕靈體會對自己不利，所以默不作聲。

　　晚上，由我負責煮飯，當她在廚房炒菜時，那個小童靈體一直站在我身旁看著我，還挨過來聞飯菜的味道，就

像一般鬼片中的「鬼魂索香」一樣。我每炒好一味菜便會拿出廳，放在桌上。那個小童靈體沿路會一直跟在我身旁，不停的聞，但菜一放到桌上，他便會走開，似是怕了圍坐在桌邊的眾人。

講古惹鬼聚

晚飯後，我的家人開始麻雀耍樂，還邊打牌邊講鬼古。原來當靈體聽到有人在談論他們時，會很感興趣，所以講鬼古期間，我看到愈來愈多靈體被吸引進來。沒多久，我便進浴室洗澡，洗澡時，看到一個穿著白衫的中年女靈體，一直站在旁邊以茫然的眼神看著我，我見這個靈體看似沒有惡意，也裝作看不見她。

晚上睡覺時，睡在客廳的我突然被一陣電視聲吵醒。我偷偷張開眼睛，原來剛才的中年女靈體，正坐在電視機前，似是在看電視。但這時，我清楚看到，電視機是關上的，但我卻聽到電視聲。忽然間，那個女人轉過頭來，彷彿知道我看到她般，還走過去我身邊察看我是否睡著，而她噴出的冷風，更迎面吹向我。面對如此情況，我只好繼續裝睡。

我與家人在該屋住了三日兩夜，原來家人在這段期間亦感到有點怪怪地，但又不敢問，於是在乘船離開時才追問我，而我亦如實告訴家人，屋內確有一對母子靈體。後來，我再向附近的人打聽，才知道當年有一位母親在屋內吊死兒子後自殺，之後，他們的靈魂便一直留在屋中。而

那間屋本來是不租給外人的，因為經過多次超度也沒辦法令「他們」離開，那次剛好客滿才會租給我們一家。

　　因為地址的不同，我所看見的母子靈體，應該不是街知巷聞的「東堤母子冤靈」，原來在長洲的另一個角落，還有第二對度假屋母子冤靈呢！

鬼眼凶靈搵替身

第
六
六
頁

更衣室的少女

—— 故事提供：華 DEE ——

2005 年的冬天，我如往常一樣，下課之後就到學校的游泳池作游泳校隊的例行練習。這所大學的泳池有室外 50m 及 25m 泳池，傍晚開始練習，至結束已天黑了。這天來泳池練習的隊員不多，練習結束沖洗之後，自男生更衣室走向泳池門口的途中，我看到二十幾公尺外的女子更衣室門口站著一位「女士」。會稱呼為「女士」，是因為當時依稀可以看見「她」留著一頭過肩長髮，上衣是米黃色毛衣，依稀可見著過膝長裙，但無法辨識五官及腳步（當時以為是天色昏暗而導致模糊難辨，但該處有日光燈，確實可以清楚看到頭髮及上衣之特徵），本來以為是某位學妹來泳池觀摩，我想上前打聲招呼，還未走近時已不見蹤影。

走到泳池門口櫃台處問幾個已經游完的學弟妹，有沒有看到一位「女士」走出來，今天唯一來報到的學妹說沒有看到我所描述的「女士」進出女更衣室，我覺得納悶異常，還特地請這位學妹進去女更衣室再確認一次。

各位也許會覺得我是否將這位學妹誤認為該「女士」，但因為兩者的髮型、服裝皆完全不同，也排除這個可能性，雖然之後再也沒在泳池見過該「女士」，不過此事件過後幾天，身體一向健康少生病的我，竟然也經歷了一場相當嚴重的感冒，種種的巧合使我不禁懷疑當時所看到的景象究竟是 ……

我的非常同學

—— 故事提供：水霍霍 ——

阿榮是我大學同班同學，也是我認識第一個有陰陽眼的人。

兒時玩伴非一般人

阿榮很小的時候就開始跟靈體接觸。他的個性內向，童年常常一個人玩耍。他記得四歲左右，常有一個爺爺帶著小女孩來跟他玩，每次他們告別時，爺爺都會給他一顆糖，但是阿榮的父母卻嚴禁阿榮和他們來往。好幾次阿榮失蹤，他父母發現他睡在竹林和溪邊，阿榮都說是爺爺和小妹妹帶他去玩。阿榮的童年就在不斷的失蹤和找回中度過。有一回在隔壁村的靈堂中，看見爺爺和小女孩的遺照，他才知道他的玩伴不是「一般人」，也發現自己有別於一般人的特異功能。

由於是大近視，阿榮很難分得清楚他所看的是不是異度空間的「朋友」，只能從他們出乎尋常的舉動中分辨。像是奇怪的出場（例如穿牆或是久站在電線上）、不小心撞到卻穿過對方的身體。他也看過貓狗的魂魄，據他所說牠們看起來是很無神地、長年駐守在同一處的，也許是不忍心離開主人吧！

有時他也會看到屋裡的地主，慌慌張張地進出屋子。

幸運的是，他很少看到面目猙獰的靈體。

有「人」跟我們的車

　　每次他說起自己的見鬼經歷，還是語不驚人死不休。如果他聊天聊到一半突然變臉，大概是他又看見靈體路過。

　　有晚，阿榮載我去吃飯，本來一路上還有說有笑，經過一片竹林，我抱的小狗突然哀鳴起來，阿榮也臉色發青。他將我送回家，隔天才告訴我，昨天有「人」跟我們的車，一直摸小狗的頭。我被嚇得幾天睡不好。之後我除了少約阿榮晚上出外，小狗也被我下了宵禁令。

窮追收屍

—— 故事提供：阿澤 ——

Donald 有一雙陰陽眼，見鬼如吃生菜，已見怪不怪。但惟一不慣的是，靈體彷如一個監護人，當他偶爾做錯事，靈體會現身教訓。

彷如監護人，靈體現身教訓

當靈魂離開肉體後，生命也隨之結束，只剩下軀殼。就算是小動物死後，也應該妥善處理其屍身。要是對屍體不尊重的話，可能會觸怒其他看不過眼的靈體，必招懲罰。

Donald 是一名貨車司機，家住新界某鄉村，他的貨車停泊在村內一個大型露天停車場內。去年某個寒冷的清晨，他如常地到停車場取車。

Donald 正準備開車，忽然聽到一把低沉的男聲說：「停車呀！」

▲停車場的靈體

這時 Donald 感到貨車輾過了一些東西，心知不妙，便立即下車檢查。原來貨車把一隻小貓輾斃了，只見牠腦漿塗地，身體被大貨車壓成薄薄的一片，死狀好不恐怖。

這時天仍未亮，寂靜的路上只得 Donald 自己一個，也找不到剛才叫他停車的那個人，便返回車廂準備駕車離去，這時，有人大力敲打車門，他往外一看，不禁打個冷顫，只見車門外站著一位面黃肌瘦的老伯，對方指著貓屍說：「隻貓死得好慘，你要收屍呀。」

暴屍街頭好慘……

Donald 無奈地說：「我趕時間嘛，一陣清潔工人會去執啦！」說罷便開車離去。

當貨車駛了一段路後，忽然傳來了一陣狗吠聲，村內其他的狗隻也跟著吠起來。這時，那老伯的聲音不斷在他耳邊響起：「暴屍街頭好慘……」

可是環顧四周，Donald 也見不到任何人，而那聲音卻愈來愈近，彷彿就在車廂內發出一般。當他瞄一瞄倒後鏡，竟見到那位老伯已端坐在後座上，可是當 Donald 掉頭望時，卻又見不到有人。

Donald 聽後，嚇得立即跳車。當他跑到村口的一株大樹旁時，見到一群晨運客聚在一起，他們見 Donald 神色慌張，便上前問他發生了甚麼事，是否需要幫忙。Donald 見人多陽氣盛，在大樹下亦有一些受供奉的神像，他便安心起來，如實地告訴他們剛才發生的事。

靈體最後通牒：你記得搞掂佢啦！

可是他們聽後竟相視而笑，Donald 正在疑惑之際，有一人從身後拿出一隻血淋淋的死貓，遞給 Donald。他嚇得目瞪口呆，惟有硬著頭皮接過那隻死貓，這群人便一個接一個地走入身旁那株大樹內，最後的一個更掉頭向他厲聲說：「你記得搞掂佢啦！」

待他們全部消失後，Donald 匆匆找一個大膠袋把死貓包好，埋在山邊，始敢駕車離開。自此之後，他每次開車前都小心檢查車底，再不敢馬馬虎虎了。

二手煙

—— 故事提供：華 DEE ——

擁有陰陽眼的 Donald 輾斃小貓後不顧而去，遂遭靈體教訓；同樣天生鬼眼的 Gordon，也有類似經歷。

Gordon 經常到酒吧玩樂。某夜，他的一班朋友又約他出動「夜蒲」，他本來因為喉嚨有點不適而想推掉約會，但盛情難卻之下，他最後還是趕往跟朋友會合。當晚眾人又是喝得半醉。

此時 Gordon 便走出門外抽根煙提提神，同時也想讓晚風吹散酒氣。他走到街頭那株大榕樹下後，便取出香煙燃點，深深地吸了一口後，就把煙往樹上噴。在淡淡的煙霧中，他忽然瞥見樹上好像有些東西在晃動，他於是揉揉滿是醉意的雙眼，再向上望清楚，此時赫然見到有個約七、八歲的小孩坐在樹杈上，雙腳更懸在半空中搖盪著。

唔好搵煙噴我呀！

Gordon 被嚇得酒意全消。突然間，只見小孩從樹上滑了下來，不消一刻便已站在他面前。

伸手入袋取糖

此時那小孩語帶憤怒的罵他：「唔好搵煙噴我呀！」

此時 Gordon 意識到眼前這個小朋友可能不是人類，因此他亦不敢輕舉妄動。

靈體伸手入你袋

「你做乜食咁多煙呀！食你袋入面個粒糖好過啦！」那小孩續說。接著他便伸手打開 Gordon 的口袋，拿出他口袋裡的喉糖並拆開來吃。此時 Gordon 已嚇至魂飛魄散，只見那小孩吃過後便咧嘴而笑，並掉頭離去。Gordon 目送他走進一條橫巷後，才敢鬆一口氣。

隔了一會，他的朋友 James 出來找他他：「Gordon，你係唔係飲大咗呀？做乜用糖去餵貓呀？」

是醉了？還是見鬼了？

原來 James 見他離座那麼久，便出來找他，James 後來跟 Gordon 說，他剛才一出來，就見到 Gordon 在樹下逗一隻野貓玩耍，但又聽不到 James 在叫他。究竟是那小孩的出現，是 Gordon 醉酒後的幻覺，還是他的二手煙真的騷擾到其他「人」，那就不得而知了。

一閃而過的感應

—— 故事提供：馬英八 ——

　　記得在數年前，尖沙咀某商場還不如今天般熱鬧，人流不多，大部分商舖仍是空置，我朋友阿 Jade 卻選擇在此商場的地庫開設時裝店。

　　有一天晚上，我與一眾朋友前往時裝店探望阿 Jade，那時候大部分商舖已關門，人流明顯比日間所見到的更少，我步入商場地庫，心中已有點怪怪的感覺。

　　由於時裝店尚在裝修，所以我與其他朋友便站在門外等候阿 Jade 落閘，站在轉角位，我突然感到有股涼風吹過。在剛吹過的幾秒時，我心想可能是商場太大、又少人，所以特別凍。但沒過多久，我卻意識到，剛剛那股寒氣是一閃而過的，像是某些帶著寒氣的物體迎面飄過一樣。霎時間，我不自覺地打了一個冷顫，一種莫名的恐懼感立時湧上心頭，令我起了一身的雞皮疙瘩，我心感不妙，立刻拉著一眾朋友迅速離開商場。雖然我沒有親眼目睹，但卻感受到那股靈體的陰氣，對我而言已夠恐怖萬分，令我每次回想起仍猶有餘悸。

浴缸裏的黑色幽靈

—— 故事提供：華 DEE ——

正常人都聞鬼色變，但擁有天生鬼眼的死黨 Sophia 卻一點也不怕，令我非常佩服！她親述了一次見鬼經歷，看她說得從容，但我作為旁觀者，卻聽得手心冒汗！

Sophia 形容，靈體基本上分為四色：分別是紅色、綠色、黑色及白色，當中以白色最善良，不會傷害人類。而黑色則屬於互不相干的類型，只要你沒有得罪它，它就不會騷擾你，即使它們有時會搗蛋嚇人，只要抱著事不關己的態度，它們就會自動消失。至於紅色及綠色的靈體，則屬於厲鬼類，它們極為兇惡，千萬不可招惹，否則被它們纏身就會後患無窮。

黑色靈體不犯人

Sophia 本身對靈體的敏感度極高，所以她經常都會見到靈體在四周出沒。這對陰陽眼是天生的，可能是從小習慣了，所以看見靈體對她來說，不是怎麼一回事，但偶爾還是會被嚇到。曾聽她說過一個經歷，證明黑色的靈體真的是「人不犯我，我不犯人」的族類。

那次，Sophia 在酒店的浴室沖完涼，剛拉開浴簾，已感應到有靈體在旁邊站著。初時她也有點被嚇到，但很快便鎮定下來，她定睛細看，看見有個「黑色的男人」坐

在廁板上東張西望，不知要看甚麼似的。那時候，Sophia
經已意識到這個靈體知道自己有陰陽眼，看到其存在。

　　雖然如此，Sophia 卻當他透明，更走到鏡子前面，打
算將頭髮吹乾。這時候，那個黑色的靈體行到浴缸裡站著，
繼續注視她的一舉一動，直至她吹乾頭髮走出浴室為止。
這隻被她視為「八卦又無聊」的靈體，最終在 Sophia 離
開浴室的那一刻，消失於眼前。

糞坑裏有人！

—— 故事提供：豆泥 ——

我出生於八十年代的江蘇蘇南地區，在一個寒冷的冬夜，我爸爸因為在公司開會沒有回家，我和媽媽兩個人睡在小屋子裡。裡面擺放灶具洗漱用品甚至痰盂，另外就是一張大床，總之吃喝拉撒全在一間屋裡。沒有窗戶，一前一後兩個門，夏天打開到是很通風。冬天卻灌風冷得不行，所以後面通向鎮上大糞坑的門是緊緊關著的。

一天晚上，媽媽哄我睡覺，可那晚奇怪的是平時很容易睡著的我就是不睡，漸漸的我媽也不耐煩了，開始嘮叨：「你這孩子今天怎麼回事？又是抱又是唱催眠曲就是沒用，眼睛瞪的大大的。」

可慢慢我媽都覺得不對勁了，抱著我還好，一把我放在床上我就大哭，邊哭邊很害怕的往我媽懷裡鑽。我媽就問：「寶寶乖，寶寶不哭了，告訴媽媽怎麼了？」

我就哆嗦著伸出手指著後面那扇通向糞坑的門嗚咽這說：「媽媽我怕，糞坑裡有人，穿著紅衣服紅帽子，在看我們……」

我媽當時一聽汗毛也豎起來了，抱緊我一夜沒敢閉眼，第二天一大早就帶我去找爸爸。

以我模糊記憶，似乎那糞坑裡的人是尖頂的紅帽子，容貌記不清了，只記得自那晚以後，爸爸最遲九點就一定回到家，有爸爸陪著，我晚上睡覺就沒有再哭鬧過了。

它，穿過我的身體！

―――― 故事提供：Edward ――――

我自小有陰陽眼，有時會分不清眼前的景像是真實，人人都看到；還是異度空間，只有我一個人看到。我試過混淆了，告訴朋友我所見到的事物，例如有個穿長裙的長髮女子在等車，有個穿唐裝的老人在過馬路等，朋友一個個都給我嚇跑了。

天生鬼眼，朋友避我則吉

難得有一年，朋友肯約埋我一齊去宿營，但他們要我約法三章，提醒我不論看到或聽到甚麼都不要作聲，要當作沒事發生一樣，免得掃他們興。我一一答應，陰陽眼者其實很孤獨，只要朋友肯讓我一齊玩，我甚麼都應承。

「男人」穿人而過

到了目的地，我們如常玩樂，燒烤，大家都玩得很開心，而我亦感覺不到有任何異樣。但是到了晚上，我們一起玩撲克牌，去到最後一局有人提議這局的輸家要請食雪糕，以及負責去租碟回來。

終於最後一局有人輸了，我們一伙人到樓下的士多買雪糕。我們是並排成一直線的行，而當時除了我們亦不見有人在行街，奇怪的事發生了。

無人冷巷的急促腳步聲

我迎面看到個「男人」，但我的朋友們好像沒有看到，這也不是問題，問題是那個「男人」穿過朋友阿輝而過，但阿輝完全沒有反應，好像沒事發生一樣。到了士多也到影視店，要做的事經已做完，我們一行人準備回渡假屋，我忽然聽到我們身後有許多腳步聲。

嘩！我又見鬼了！

當時我根本不敢回頭看，我起初還能保持鎮定，但是當腳步聲愈來愈大聲我也顧不了，立即拔足狂跑。我想她們也估到一二，她們也跟著我狂跑。

回到渡假屋，她們問我發生甚麼事，我說我聽到身後有很多腳步聲，好像有很多人行，而且愈來愈大聲所以我便跑。我還問阿輝，為甚麼剛才那個男人撞到他時，他竟沒有反應？

阿輝冷顫了一下，說根本看不到甚麼「男人」，那時我才知我見到的是……鬼！

沒有朋友敢約我到郊外玩了

這次宿營活動最終都不歡而散，為甚麼？唉！他們不知有鬼，還可以安心玩下去；如今知道這裡有鬼，還會穿著自己的身體而過，哪會不害怕？

以我記憶裡，自從那次之後，朋友沒有再約我去宿營或露營了……

大鬍子藍眼鬼

—— 故事提供：芬姨 ——

　　我從不歧視其他國籍的人，但很抱歉，每次我見到頭戴布巾的大鬍子印度人，都會極速彈開。我不是厭惡他們，而是我曾經有一段見鬼經歷，令我對印度人望而生畏！

　　那年，我到澳洲留學，我沒有住在學校宿舍，而是租住了一個二百呎的小單位，打算體驗生活。這個單位雖然有點陳舊，設備也有點霉爛，但租金很平宜，最適合我這個半工讀的窮學生。

　　我首天搬進這個單位時，可能未適環境，我久久未能入睡，於是從牀上彈起來，走進廚房打算倒杯水飲。整間屋是暗的，但我的房門對著廚房門，摸黑都入到去，所以全程沒有開燈，利用房內的桌燈光線就夠了。

　　我站在廚房喝水，期間眼睛自然地望向窗外，突然，我發現窗外站著一個像人一樣的形體。

四樓窗外，站在一個「人」

　　我住在四樓，這麼高，窗外沒任何可站立的地方……

　　我壯起膽子走上前看，貼著玻璃窗向外望，忽然眼前呈現一雙藍眼睛。一個再清晰不過的印度大臉就印在窗戶上，瘦長的臉型、高顴骨、大鬍子、深邃的眼窩、濃眉、頭巾。

還有那雙藍眼珠直盯著我……

端著水杯，我打算回房間去，怎麼才一轉身，就一個透明的白色形體擋住我去路，我繞過那透明白色形體，嘴裡唸著「阿彌陀佛」，啊，弊！印度人怎曉得「阿彌陀佛」？！

我沒理那麼多，一邊唸「阿彌陀佛」，一邊垂著頭匆匆回房間。還記得門外的鄰家狗兒連吠了好幾聲，那狗叫聲一開始聽起來像是警告，漸漸地變成是緊張。

第二天，我寧願蝕了訂金也堅持退租。金錢的損失，令我很肉痛；但要我晚晚受著見鬼的煎熬，豈不是比死還難受！？

趕住投胎……

—— 故事提供：大舊 ——

傳聞，新加坡某間寄宿學校裡，有外籍女學生受到邪靈侵襲，竟無緣無故在廁所上吊自殺。校內有人懷疑與多年前的某女教職員抗賊枉死有關，可能冤魂未能輪迴，要搵替身才能投胎……

二十年前，某間寄宿學校發生一宗兇案，兩名賊人潛入校內爆竊，被一名女教職員發覺，即時加以阻止，三人發生激烈糾纏，兩名賊人為免東窗事發，在廁所內拿起一條毛巾，塞入女教職員的口部，令她窒息死亡。慘劇發生後，便流傳女教職員的鬼魂在校內徘徊。

首晚寄宿 離奇上吊

多年後，一名印尼籍女學生中途入學，原來她相當依賴父母，家人為訓練她的獨立能力，便送她來寄宿舍校就讀。由於學校的環境跟家中大有不同，加上學生又不是同聲同氣，令她有種莫名的失落感。對她來說，相信要有一段漫長適應期，才可以融入寄宿學校的生活。

住進宿舍第一晚的午夜時分，該名印尼籍女學生突然離開自己的睡床，走進廁所，同房的另一名女學生這時仍未入睡，不停在床上輾轉反側，她看到印尼籍女學生很久仍未出來，在好奇心驅使下，她走進廁所敲門輕聲問：「你

沒事吧？」但沒有任何回應。她發現廁所門並未鎖上，因擔心同學有事，便慢慢把門推開。

廁所燈光微弱，在昏昏暗暗環境下，該名女學生發現廁所的一角，有一名身穿整齊制服的女教職員，口部緊咬著一條白色毛巾，女學生再定神細看，竟發現那個女教職員是無腳的。女學生看到這情景時已全身發軟，嚇得面青口唇白，她知道這是邪靈，腦海感到一片空白，不知所措，馬上奔出房外高聲呼救：「救……救……救命呀！」

女鬼施法無故尋死

在宿舍當值的教職員，聽到呼救聲後，馬上走來查問：「發生甚麼事？」女學生嚇得半死，方寸大亂，說不出話來，只能隨手指著廁所，教職員走入去查看，竟發現那名印尼籍女學生在廁所內上吊。他們立即呼救，大家把印尼籍女學生解下來，進行搶救。幸好，那名女學生經過搶救後，已漸漸恢復知覺，並送往醫院治理。

學校方面經深入調查後，發現那印尼籍女學生雖然不適應寄宿生活，但絕無尋死之意。那印尼籍女學生醒後說自己睡得朦朧之際，被一名女教職員叫醒，但之後發生過甚麼事，卻全無記憶，至於她為何會上吊自殺，更是一無所知，她知道事件後，也嚇了一大跳！

眾人對這宗靈異事件議論紛紛，大家都猜測女教職員的鬼魂在揾替身……

誰真？誰假？

—— 故事提供：Dada ——

豔陽高照，氣溫不斷攀高，幾乎到了將人烤熟的程度。

Gina 站在火車站售票處前，等待好友 Ali 的到來。可是都過了約定時間快半個小時了，她卻連半個人影都沒看到。Gina 不停看手錶，並一邊用手搧風，炎熱的天氣真讓人心生不耐。約好的好友終算出現了，但是 Ali 不是從正面走向她，而是轉身的時候，才突然發現 Ali 就站在身後，且兩人相距不到一米的距離！雖然有點嚇到，但 Gina 沒把這件事放在心上，只認為是 Ali 在惡作劇。

眼前的人，是人？是鬼？

「不好意思，臨時有事，所以遲到。」Ali 說。

近距離看上去，Ali 的臉色與這火熱天氣正好相反，不怎麼紅潤的雙頰，反倒有些接近慘白！

「Ali，妳沒事吧？妳的臉色不是很好。」

「沒事，我們去逛街吧。」說著，Ali 的手伸過來要拉 Gina 的手。

說時遲那時快，Gina 的手機突然響起。

「抱歉，我接個電話。」Gina 站到一旁更陰涼的地方乘涼，按下接聽鍵。「喂？」

「Gina，我們去逛百貨公司好不好？我想買幾件新的

衣服。」

「⋯⋯」Gina 呆愣住，電話那頭的聲音和 Ali 的聲音一模一樣！「妳⋯⋯是 Ali 嗎？」

「哪還用問嗎，都當了這麼久的朋友了，妳連我的聲音都認不出來？」電話的那一頭取笑著，只是，Gina 已經笑不出來了。

轉頭看著距離幾公尺的另一個 Ali，她目不轉睛的盯著自己講電話，嘴角彷彿微微上揚，配上陰慘的臉色，挺嚇人的⋯⋯

「Ali，妳在哪？」

「我喔，現在已經在百貨公司門口了，妳坐巴士來吧。」

Gina 應了聲好，把電話掛上，走向另一個 Ali。

「Ali，我想去買點喝的，一起去吧。」

「好。」

Ali 很乾脆的答應，但是她走出陰影處時，打開了手中的陽傘，不讓自己接觸到陽光。

她記得，Ali 以前不管再怎麼熱都不會撑傘⋯⋯

Gina 拿著飲料，二話不說就往巴士站跑去，她幾乎可以確定眼前這個「Ali」不是人⋯⋯

鬼巴士接送

看著 Gina 準備上一輛剛好停下來的巴士，Ali 連忙大喊，「Gina，別上去！」並且把礙手礙腳的傘丟了，伸手

去拉住 Gina。

Gina 看到她把傘丟在一旁，愣住並停下腳步。就在她將目光轉移的同時，耳邊彷彿出現類似「咕」、「噴」的聲音，接著，腳下忽然一空，正眼一瞧，哪裡還有什麼巴士？

「啊！……那架巴士……」

Gina 的精神進入混亂狀態，剛才她所認為的，是不是弄錯了什麼？

陽光下，Ali 亮麗的黑髮閃耀著。

事後，Gina 將事情弄清楚，原來眼前這個 Ali 是真的，但是一不小心吃壞肚子，在廁所蹲到臉色蒼白，才會耽誤時間又臉色差，撐傘的原因是因為拉肚子，時間太趕來不及擦防曬乳，為了不曬黑，只好帶傘出街。

那麼，和她手機談話家常的「人」，是誰呢？

來電顯示也是 Ali 的號碼沒錯，可是 Ali 說，她的手機早已送去維修了！

後來，跟長輩談起這次怪事，才恍然大悟，原來，因巴士意外而往生的人要抓替死鬼才會發生這種事，如果當初 Gina 上了巴士，就再也不可能下車了……

如果接到的電話和眼前對你微笑的是同一個人，請注意誰是真的，誰是假的……

無人的廢村

—— 故事提供：B 仔 ——

　　牛屎湖村，是沙頭角東北端一個海灣內、和吉澳島遙遙相對的一條小村落。原本住滿很多村民，他們日出而作，日入而息，生活平淡但快樂。但自從連串怪事發生後，村民為了保命，決定集體棄村，令牛屎湖村頓成廢堪，變成一個無人的廢村。

無風起巨浪，4 人慘死

　　事緣，在 1965 年，一艘由沙頭角墟市開往牛屎湖村的街渡進入牛屎湖灣時，忽然風雲變色，一陣怪風刮起，掀起無數巨浪，無情地把街渡吹翻。當時船上的十二人全部墮海，其中八人幾經掙扎才游回岸上，其餘四人卻不幸溺斃。

　　牛屎湖灣是個天然屏障，海灣內一向風平浪靜，甚少無端翻起巨浪。慘劇發生後，令村民既又悲痛又震驚。

　　事後，差不多每晚深夜，家家戶戶都聽到有人大力敲門，但隔門問來者何人時，對方只以陣陣淒厲的冷笑聲作回應。由於牛屎湖村的位置隔涉，平日都很少遊客到來，更遑論三更半夜有人來造訪？除非那個不是人……

曾是日治時間的刑場，怨氣衝天

　　連串恐怖怪事發生後，村民聯想到一個地方，就是牛

屎湖灣對開海面的一個孤島—墳州。

話說，在日治時期，日軍經常派軍艦到沙頭角對開海面巡邏，截擊循水路進入市區的反日游擊隊。當日軍捕獲反日分子時，便會押到墳州處決，在孤島上遭殺害的烈士不計其數，令該島成了猛鬼之地。香港重光後，該島不時傳來陣陣哀號。

村民們認定是有人觸怒了墳州的屬鬼，導致他們入村索命和「找替身」。

他們經多番考慮後，為了保命，決定集體棄村。在一九六五年六月二十三日，所有村民扶老攜幼，只帶簡單的行李，匆匆地搬離這個生活了多年的地方。一夜之間，全村空無一人，並荒廢至今……

陰陽眼

—— 故事提供：B 仔 ——

Gillian 天生一對陰陽眼，自小已看見鬼魂，隨著人越大，遇見鬼魂的次數愈來愈多，以前只是在公眾的場合，現在當朋友載著她經過高速公路，她也會在大道旁看到一些魑魅魍魎……

天生一對陰陽眼

一天，Gillian 在房裡看小說，忽然有三名穿著黑衣的小童從外面闖了進來，話也不說便搶了她的小說，她很生氣，即大罵他們，指誰家的孩子這麼沒有禮貌。豈知，其中一名個子高大的孩童笑著對她說：「姐姐……我們三兄弟多年來都沒有機會看書讀書，你可以買幾本小說給我們閱讀嗎？」

「甚麼？你們為甚麼不向父母拿錢買？為甚麼要來搶我的小說？快點將小說還給……」Gillian 還沒說完，三名孩子霎地消失了，而那本小說則被丟棄在門檻一角。

Gillian 第一次在自己家裡見鬼，心裡頓感害怕，她擔心以後那三個小鬼還會繼續來干擾她，甚至會傷害她的母親與兄長，故她一直憂心忡忡。

後來，朋友介紹她認識一位道姑，得到道姑的指導，她的眼睛不像以前頻頻看見靈異事物了。

正當 Gillian 充滿喜悅，以為自己雙眼從此可以恢復像常人般，不必再忍受親友的白眼，以後可以過回正常日子之際，但真正的災難終於降臨了……

有一天傍晚，她駕車載著母親與兄長在回家途中，她看見前面馬路上站著三名穿黑衣的小孩子微笑地向她一直揮手，她見狀馬上將車子放低速度。

當她看清楚路旁的三名小孩的面貌，霎時間，她吃了一驚，腦海頓時記起昔日在家裡突然搶走她小說的黑衣鬼仔。為何這次會在馬路上碰上這三個小鬼？

當 Gillian 的汽車越過三個小鬼後，驀地，Gillian 聽到車後面的馬路發出一陣砰砰碰碰的聲音，她迅速通過車後鏡望向後面，赫然發現後面發生了車禍。她立刻停下車子，與母親及兄長一起出外觀看。原來是三架汽車連環相撞，地面草地都堆滿玻璃碎片，三輛車子翻落在不同的方

▲一雙陰陽眼竟然可救你一命？

向，有些路過的車子也停下來，車主和路人紛紛下車觀看。

三小鬼公路找替身

眾人議論紛紛，有些欲打開車門搶救車內的傷者，就這個時候，有人大聲的呼叫：「糟了！這輛車內的三個人因為被夾在車廂內不能移動，頭部流出很多血，再遲一點就會沒命了！」

可惜，救護車來到時，車內三個人已停止呼吸了。

Gillian 吃驚不已，剛才三小鬼不停向她揮手，原來是向她道別，三個小鬼當時正要在馬路上尋找替死鬼，所以和她揮手道別。要是當時三個小鬼向她招手，而她又把車停下來的話，恐怕躺在車內的三個死人是她們……

Gillian 頓然冷汗直流，原本她與家人有可能成為替身之一，不過小鬼放過她們而寧可找尾隨車子內的三個人代為替死鬼。

手術牀上的怨靈

—— 故事提供：B仔 ——

　　據聞，有一位30多歲的女子秀珍，來到內地一間整形醫院進行隆胸，結果沒有想到，一個本來十分簡單的手術，卻奪去了秀珍的性命。

為美隆胸反掉性命

　　秀珍本來有一個十分幸福的家，兒子還在讀小學，夫妻恩愛。秀珍為追求更加美麗的身材決定去做隆胸手術，結果陪上了性命。醫院方面極力否認是自己的過失，死者的丈夫就說只想醫院一味掙錢不顧病人體質是否承受得到，又沒有事前體檢，結果釀成悲劇。死者的年邁父母、幼子親屬在醫院門口燒紙痛哭，要求醫院交代。

手術枱上慘死

　　話說，秀珍頭七那天晚上，住院部的值班護士聽到不停的腳步聲和哭泣。護士發現原本已經關燈鎖門的整形科，卻燈火通明，燈光還不停明暗閃爍，當中還夾雜者女人的哭泣和嘆息聲。

　　那護士膽大的開口問：「誰啊？」

　　然後燈突然就滅了，護士推門一看，見到一個女人正站在屋子裡，胸口全都是血，然後護士就暈倒過去。

　　這時，家屬還在醫院門口燒紙，口中唸著說秀珍死得

不明不白，要為她在枉死的地方招魂，就在此際，剛才那位女護士衝出來抱著母親和兒子痛哭，自稱是死者！

死者的老母親抱著護士放聲大哭，說自己的女兒死得好冤枉，在場圍觀的平民也嚇得目瞪口呆！

怨靈頭七找晦氣，護士成替身

大家都猜是因為至親在醫院門口招魂才令冤魂找替身，那護士繼續抱著母親和兒子哭個死去活來，還說要找主診醫生償命。

醫院附近有一個尼姑庵，裡面有一個喇嘛廟與醫院相距非常近，古廟有幾百年的歷史了，醫院的人無法令護士清醒過來，於是跑去找廟中的高人求救，前來幫忙的尼姑給護士灌了一碗香灰水，又在額上貼了符紙，折騰一番後，護士再次暈倒在地上。

當護士清醒過來後，她憶述自己在整形科門口見到一個胸口流血的女人站窗前。

製紙人替死

尼姑表示，秀珍是枉死的，所以無法輪迴轉世，醫院一聽就急了，苦苦央求師太想個解決方法。

師太就說讓主診醫生找個替死，就可化解了。醫院本來不信這些輪迴和替身之說。但是事實勝於雄辯，這名護士的行徑實在太詭異了，他們唯有乖乖地跟著師太的指示去做。最後，醫院方面按師太的指示，在紙人上寫上一頭

小狗的名字當替身，再做了幾場法師，另外，又陪給家屬一筆錢，具體數額不清楚。還有，又在西安有名的八仙庵請了大師來，在醫院的門口起了個高台，原先都是跟人行道一樣的高，現在有半層樓高了，在高台的中央正對著醫院門口，砌了一個八卦的圖案，醫院的樓梯中間，都有一個個類似於符紙的文字圖案。

被上身後，臉容憔悴

據聞，被上身的護士自那次事件後，大病一場，從此身體和精神都不太好了，原先白白胖胖的，後來日益憔悴，變得又瘦又蠟黃，好幾個員工都辭職了，聽師太說，醫院裡面其實不止這一個怨靈……

樹妖作惡

—— 故事提供：馬仔 ——

若植物被亡靈依附，吸收日月精華後，就會變成擁有法力的樹妖，伺機害人作惡。眾多植物之中，以蕉樹易惹鬼，有說必須在蕉樹未足百歲之齡前將其斬掉，否則便會孕育出樹精；更有傳聞說當蕉樹幹沾到血液後，會立即產生異變，搵替身作惡⋯⋯

Derek 家住新界，亞良和 Kathy（化名）是 Derek 的朋友，某個周末下午，二人一同前往探訪 Derek，由於是首次來訪，加上 Derek 的家門不易找，因此他便到村口迎接帶路。三人沿山路經過蕉林返家時，Kathy 忽然感到有點暈眩，當到達 Derek 的家後，她更躺在梳化上呼呼大睡，Derek 和亞良以為她只是太累，因此沒有打擾她，更讓她睡至晚飯時間才把她喚醒，接著他們便一起到附近的食肆晚膳。

三人吃飯，四雙碗筷

Derek 帶二人到附近一間食肆，他們坐下後，招呼他們的侍應說：「四位，飲咩茶呀？」他更在餐桌上擺放四份食具，當時他們都不以為然。直至結帳時，精打細算的亞良卻發現侍應算了他們四位茶錢，因此便要求退款。侍應瞧了他們一眼後，登時面色一沉，接著便匆匆替他們

更改帳單，隨後更獨自走出店外一會，回來時卻要求陪同
Derek 一同回家。

至於 Kathy，她整頓飯都吃不下嚥，而且更一直心緒
不靈，當他們行經擺放了數尊神像的路口時，Kathy 忽然
感到體內有股力量在拉扯著，似是要將她撕開一樣，突然
她的腳好像不受控制般，發狂地向山上奔跑，直至跑到一
蕉林時，才能停下來。

突然發狂奔跑，焚樹聞呼喊聲

Kathy 因感到既恐懼又無助，禁不住哭了出來。突然，
她感到有人在身後拍了她一下，當她回頭一看，赫然見到
有一個頭髮長長、而且面色發黃的女子站在她身後，並以
非常怨毒的目光死盯著她。Kathy 想拔足逃跑，可是其雙
腳卻似被鎖在地上一樣，怎樣也跑不動。正在慌亂之際，
Derek、亞良和剛才的侍應，分別拿著一個玻璃樽，並把
樽內的液體同時潑向她身旁的一棵長得非常茁壯的蕉樹
上，並隨即點火，那火勢愈燒愈大，不消一會更被燒成焦
炭，那熊熊火光中竟傳出陣陣的女性呼喊聲呢！

神祇前現真身，火燒蕉樹救人

直到那團火完全熄滅，他們幾個才鬆了一口氣。原來
剛才亞良要求更改帳單時，那侍應竟看到他們桌子上的
「第四位客人」時而現身時而躲在 Kathy 身後，於是便
肯定那是靈體在作祟，若不設法阻止，這靈體肯定會找

玖　Kathy 做替身，Kathy 一定有生命危險，於是他不動聲色，走出店外往附近的神像前上香，祈求神靈相助，然後陪同他們回家。

　　當他們一行數人經過神像時，那妖魅果然在神祇的威嚴下露出真身，可是狡猾的它卻使計令 Kathy 發狂往山上蕉林逃跑。幾個男人便回頭往食肆的廚房取了幾樽火水，再一起跑上山救人。果然不出所料，他們發現 Kathy 就在一棵大蕉樹旁，於是大家便一把火把蕉樹燒毀，幸好未遇到激烈反抗。至於為何它會找 Kathy 做替身，大家也大惑不解，也許是她時運低罷了。

是陰陽眼，還是眼有毛病？

—— 故事提供：喪仔 ——

在中國傳統思想下，人死非如燈滅，靈魂可以化為鬼神、或繼續投胎，甚至在另一個空間繼續生活，擁有陰陽眼的人可穿梭陰陽界，使陽間的人能有機會與陰間的鬼溝通。有的人是在練氣功時，不知怎麼就有了陰陽眼；有的是在受重傷或重病之後變成「陰陽眼者」，還有的是從小就有這種能力，更有的人自己也莫名其妙，糊裡糊塗就有了「陰陽眼」。

人死如燈滅，陰陽眼者能看到死後的世界

一些人在得到這種能力後會非常高興，因為能看見別人無法看見的靈體，比一般人要多了一種特殊能力。但是，

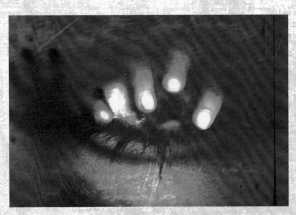

▲陰陽眼能看穿地獄的世界，你想擁有這種異能嗎？

也有的人因為具有這種能力而感到苦惱，因為有陰陽眼的人並不能隨心所欲地控制自己何時見到靈體。很多時候靈體會突然出現面前，如果樣貌猙獰可怖，真是嚇死人，而且它出現的時間和場合也不一定，使陰陽眼者生活作息被擾亂。

但瑞士自然博物學家則認為所謂陰陽眼，其實是「邦納症候群」眼疾 (Charles Bonnet Syndrome)，因為種種原因，患此病的人在失去視網膜部份的功能後，腦便會在看不到東西的視域補上一個不存在的影像，例如物件、動物或鬼怪等，此病多在老年人身上患上，但兒童或成人也有機會患上。

更有西方學者認為，陰陽眼的現象來自精神分裂症或其他精神疾患造成的幻覺和妄想。

西方認為，陰陽眼乃眼疾所致

學者認為，患有「邦納症候群」的人會看到不存在眼前的東西。這種病人會發現有東西會突然跳進眼簾，例如不熟悉的人突然坐在他的旁邊共進晚餐。神經科學家拉馬錢德朗 (Vilayanur S. Ramachandran) 描述過一個病例，有位婦人突然看到兩個警察在地板上巡邏，把一個更小的犯人關進火柴盒般大小的車裡。其他的病人報告看到天使、穿著大衣的羊、小丑、羅馬戰車以及小精靈，這在老人身上常發生，尤其以前視覺受過傷的老人。

一位沒有孩子的老公，他的幻象一再出現小女孩和小

男孩，讓他以為這些幻象反映他想當父親的夢想。有一位女性病人甚至看到最近去世的丈夫，一星期三次。

這些幻象通常發生在照明不良或黃昏時刻，如果病人眨眼、點頭或開電燈，幻象通常會消失。但是，病人無法用意志去控制幻象不出現，幻象常常在毫無預警下出現。

許多病人看過各種幻象，例如一位病人，她在她的左視野不但看到一群小孩，還聽到他們在笑，只有當她用右眼看東西時，才知道根本沒有人在那裡。幻象可能是黑與白，也可能有顏色；可能不動或在動；與實際事物比較，幻象可能像正常一樣清晰。

佛經有陰陽眼的記載

雖然陰陽眼給人感覺是毫無科學根據，只有在科幻小說、電影、鬼故事等才有。其實，早在佛教，都有一些關於陰陽眼的記載，例如五眼六通的五眼中，「俗眼」是指一般眾生之眼；「天眼」是指出可見天上界，看到其他法界，但須禪定至某種程度才有；「慧眼」指無上智慧之眼，可看破世俗的假相；「法眼」是可以觀察到世上種種佛法，覺悟一切；「佛眼」則是以上全部俱足，這些皆是有跡可尋的。

大家相信有陰陽眼這回事嗎？是眼疾造成，是患者腦裡面虛構出來的影像？還是真有其事，能看到一些不應該看到的東西？

活埋孩童打生樁

—— 故事提供：馬仔 ——

古時民智未開，人們的迷信程度到達極端。就以建築業為例，一旦建築物倒塌，或有甚麼人命傷亡，以前古人都會以為得罪了神靈，所以遭受懲罰。

民智未開，以為工業意外乃觸怒神靈所致

為免建築物倒塌，不知哪位良心如鐵的人兄竟然想出一套極為恐怖、又不人道的方法—打生樁，後世盲從之士又竟奉之為金科玉律，更一直沿用至今。

究竟甚麼叫打生樁……

活埋兩童「監生」打樁死，祈求建築順利

據聞，古人認為建築時需要動土，一動土就會破壞土地的風水，會觸怒很多冤魂。所以在興建一些大型建築物時，就會有冤魂藉此來找替身來投胎。而且，大凡有建築工程，或多或少都會有人死亡，幽靈會找人出氣或尋「替身」，因此，在動工前先捉一至兩名小童，把他們生葬到那塊土地上，之後用泥掩蓋，再在上面興建，這樣就不會有意外發生了。

自從用了童男童女作為「打生樁」的祭品後，不少工程都能順利進行，因而形成了一股風氣和習慣，日後建築業的老闆，或判頭工人，若沒有親眼看見「打生樁」，總

會渾身不自在,唯恐大禍將到。後世人將這個習俗稱為「打生樁」。從歷史中找到的證據,「打生樁」這種不人道的惡習,起碼流傳超過二千五百年。在 1960 年代初期,一些年老的建築工人曾經透露,在某些偏遠的城鎮或鄉村,仍有人暗中進行「打生樁」。

「打生樁」殘忍習俗,近代仍沿用

香港一些二戰前的建築,也流傳著「打生樁」的傳說,在 1930 到 1940 年代,家長會以「打生樁」一詞來恫嚇不聽話的兒童。2006 年初於香港何文田公主道一個水務署水管工程地盤,發現了大量兒童骸骨,有傳就是昔日的「生樁」。 不過,現代的「打生樁」就和古時的有點不同,因為現在的樁柱都是在地底的,因此,有人說過現代做法就是把小童困在地底,把他們餓死後,放上泥土,再放下英泥就成,或是用鋼筋把小童刺死,再放下英泥的。

每逢建橋,先殺兩童

除了大廈外,一些大橋都會這樣做的,但方法有點不同,就是要捉一對男女小童,男的在橋頭,女的在橋尾,兩人死去後,就放英泥。聽聞這些死去的小童會成為這座大廈和這條公路的守護神,但被人活生生害死,還成為了守護神,的確很匪夷所思!

把孩童塞豆窿祭水鬼

類似的習俗還有「塞豆窿」 (現今多用以稱呼小朋

友）。塞豆窿是一種非常殘忍的儀式，傳說古時在洪水為患的地方，防洪的堤壩經常氾濫，為了祭水鬼，治水患，人們會把一些小孩放進堤壩內的排水口（豆窿）內，他們相信以這個方法便能祭水鬼，把洪水退卻。隨著時代的進步，建築界也改用活雞，或以雞血灑在建築地盤四角取代來進行儀式。

為免冤魂搵替身，人們陰招盡出，竟然想到「打生椿」和「塞豆窿」的殘忍對策，結果製造更多無辜的怨魂。舊魂未去，又添新魂，枉死的怨魂又繼續四出搵替身，令悲劇不斷輪迴……

皇儲查理斯成功再婚，全靠替身改運法？

—— 故事提供：十一仔 ——

當事業、健康、家庭、財務或情感上遇到困境的時候，改運解厄是最直接的方法。民間流傳「紙人替身法」，當人們運途不順、鬼魂纏繞、本命不佳、流年不利、疾病纏身、犯沖太歲等，都可以透過這個法術，將厄運解除，化厄為好。補運儀式進行時，主要的物品就是「紙人替身」，目的是讓解運之人，經法術將身上的厄運，移轉到紙人身上，請紙人代替受過，之後即可解除本身的厄運。法事完畢後，把紙人焚燒，讓紙人連同厄運一同帶走。

婚前儲查理斯與卡米拉厄運連連

有傳，當年英國王儲查理斯與卡米拉能夠成功圓婚，都是靠「紙人替身法」！

2005 年 4 月 9 日英國王儲查理斯與卡米拉正式舉行婚禮，兩的婚禮磨難重重，從女王拒絕參加到更改婚禮時間地點，最後又出現假炸彈的一場虛驚。婚前幾天，當地氣象專家又預測，婚禮當天可能有一場史無前例的春季冰雹。據報道，面對這一系列不順利的事情，英國當地媒體特地派出祭司為他們驅邪。

當天負責驅邪的祭司拿著用橡木雕成的古代「驅咒

棒」，祝福一對由替身裝扮成的翻版查里斯和卡米拉。祭司高舉十字架驅除邪靈，替身「卡米拉」戴著一面鏡子來反射惡魔返回其來源地，替身「查里斯」則拿著塞滿葛縷種子（藏茴香）的枕頭，據說這是用來阻擋惡魔和吸引伴侶的古方。

接著，祭司點燃一根火炬驅除惡運，並燒香消除魔法、災難和咒語。最後，他拖著一對「王室新人」的手形成一個蜘蛛網，遵照美洲土人的儀式保護新娘。

也許「替身改運法」真的就效，歷經患難的英國皇儲查理斯和卡米拉最終都開花結果。

搵替身自招惡果

―――― 故事提供：馬拉仔 ――――

厲鬼搵替身，時有所聞；但親手殺死自己親母，再襲擊其他親人試圖替亡母搵替身，讓她借屍還陽，簡直匪夷所思！在印度，有三名男子懷疑母親遭一名已逝世親友的靈魂「糾纏」，竟然打算自行驅邪。他們殘忍地將母親「監生」打死，接著再襲擊另一名女親友，試圖將她殺害後，讓母親借屍還魂！

圖找替身為母還魂

事發於印度北方邦加濟阿巴德市，涉案三人分別為二十八歲的羅希特、二十六歲的阿希什及二十四歲的納維尼特，他們一家前晚舉行家庭聚會，母親夏絲和其他親友都在場，席間，這三個兒子認為母親中了邪，於是為母親驅邪，先用掃帚擊打母親的頭，隨後又拉住母親的頭往牆壁猛撼，直至母親死亡。

在發現母親死亡後，三名兒子試圖為亡母「搵替身」，讓母親得以借屍還魂，於是，痛擊親家的女兒普妮狄的頭部，更試圖以利剪割開普妮狄的喉嚨祭神。幸好，警方及時趕到把三人逮捕，並救出受傷嚴重的普妮狄。

藏族的替身驅鬼術

—— 故事提供：九哥 ——

藏族每逢新年前夕都會舉行驅邪儀式。其中「借替身驅鬼」是當中不可或缺的環節。

用麵粉捏成女鬼

除夕晚上，族人要在一個斷了一隻耳柄的陶罐裏，放一個替身物品——用熬過的茶葉、酒槽、辣椒、蘿蔔根、煙灰、麵粉做成的女鬼。準備好後，向家裏的佛像前擺上供品，接著，由長輩帶頭，為各人倒一碗麵塊湯，大家都喝三口，然後把剩餘的往放替身物品的陶罐裏倒，然後開始驅邪。

各人拿一點揉好的麵捏在手心裏，把手印清楚地印上去，製成「替身」，嘴裏祈禱說「帶走邪氣，帶走邪氣，一年十二個月三百六十天，鬼魔、波折、病痛、戰爭、災荒、霜凍、冰雹等災害一個不留地全部消除」。接著詛咒：「洗的話沒有不潔白，熏的話沒有不幹淨的，我背的話比一根羊毛還輕，你背的話比一根金子還重」。說完各自把衣服下撕成絲狀，把「替身」包起來，吐一口口水，用鍋底或灶裏的煙灰抹成黑色，再放進陶罐裡。

用火燒「替身」驅魔趕病

接著，開始用火把趕鬼。一個男人拿一把禾結，用火

點燃。從正屋開始，在屋裡屋外四處熏，一邊說：「出來吧，出來吧。」一直趕到門外。同時一個女人在火把前面拿著陶罐，就象徵著這地方存在的女鬼、餓鬼、妖魔、獨角鬼興妖作怪造成的疾病、戰爭、災荒等一點不留地全部消除掉了。

把替身趕走後，一家迎接新年

　　初一早飯的時候，每家都由父母分配給家庭成員每人一份肉食，包括一盤肉、一個羊頭和一塊血腸。分完肉食，家中母親會把自釀的青稞酒放在座次中間，在酒壺和壺口邊粘上三大朵酥油花，上面橫放一把酒瓢，然後由媳婦或大女兒拿著酒壺，從父母開始，輪流敬酒。喝完酒的人，肩頭會用糌粑粉塗上一個記號，可以不再多喝了。敬完酒以後，母親會端來麥粥給大家，麥粥裏面放有奶渣、人參果、肉等。每人的粥都必須喝完，誰要是喝不完的話，就要把剩的麥粥倒在他的頭上，還要罰喝一瓢青稞酒。喝完麥粥，還要喝飯後酒。飯後酒是放在大木碗和牛角裏的，酒要喝得一滴不剩，如果木碗裏剩下一滴酒，就要受罰，再倒一大碗。吃喝完畢，大家才可以隨意玩耍。有不少人家會闔家去寺裏燒香祈求來年平安幸福。

香港猛鬼札記。玖

鬼眼凶靈搵替身

慘當鬼替身9年

—— 故事提供：Win Win ——

先天失明、智商略低於同齡兒童的九歲女童 GiGi 不停地擺動身體。原本語音不清的 GiGi 突然字正腔圓地高聲叫喊，師傅繼續誦經，並以聖水灑向她，經過一連三天密集式的法事，加上畢生的功力，才成功制服「邪靈」，把「邪靈」趕出 GiGi 體內。

乖巧女童逢節日自殘

女童母親陳太表示，平日女兒活潑乖巧，但每逢農曆七月、清明及重陽等節日會變作另一個人，更指她嬰兒時晚上會不停哭鬧，稍長大後開始用拳頭打自己的臉，還會撼頭埋牆自殘，她一邊大力打自己塊面，一邊唸唸有詞叫「打死你，打死你」，有時又嘰哩咕嚕，接著變了第二把

▲若果人體被「邪靈」騷擾太久，即使最終驅魔成功，此人亦會元氣大傷！

第一一〇頁

聲叫喊，聽到人毛骨悚然。家人想出手阻止，GiGi 就出力抓人。

忍受了九年的折磨，陳太安排 GiGi 接受驅鬼儀式。當 GiGi 被聖水灑身後顯得驚慌，不斷搖擺身體，師傅拉她的手質問：「你係邊個？點解唔走？」

GiGi 並無回答，師傅繼續誦經，又以桃木劍及「符帶」抵住她的背及頭頂。

人鬼合一難分離

約十分鐘後，GiGi 以哀求的語氣向母親求救：「媽媽，走啦！」當師傅繼續唸經，GiGi 即無力地搖頭表示：「我走喇，走喇。」

當大家以為驅鬼已完成，師傅卻解釋「邪靈」只是感到疲憊，並未離開，由於「邪靈」自 GiGi 出生後已跟她，替 GiGi 做替身，長時間的糾纏，GiGi 與「邪靈」可說是合二為一，已影響 GiGi 的日常生活，並非一朝一夕可以驅走，驅鬼儀式需持續數次。

雖然 GiGi 的怪異行為持續了九年，陳太亦知道女兒被「邪靈」騷擾，但一直找不到有德行和法力的師傅幫忙，加上一家只要捱過鬼節，女兒就會回復正常，所以一直都坐以待斃。

各位讀者，一旦發現有「邪靈」騷擾，應立即驅除，一旦「邪靈」法力增加，就很難趕走，最終被上身的人，就好似個案中的 GiGi 一樣，永遠成為邪靈的替身了！

愛的替身

—— 故事提供：二五仔 ——

馬來西亞一名男子聲稱過去十六年有女鬼夜夜纏身，跟他做愛，讓他痛苦不堪，只好向靈媒求救。

原來女鬼生前無法與愛人共諧連理，非常痛苦，最後竟視這名男子為愛的替身，想帶他共赴黃泉！靈媒指示，只要他跟女鬼舉行冥婚，即可結束這場惡夢。

據報導，這名男子三十四歲。他打從十八歲開始，每晚都有女鬼上身，跟他做愛，害得他身體虛弱，缺少睡眠，分別已被十間不同的公司「炒魷魚」，交了五個女友最後都分手收場。這名男子痛苦不堪，只好找靈媒求助。靈媒說，那個女鬼三十年前因感情破裂自殺，做鬼後在一次偶然下看上了這名男子，女鬼在生時無法與愛人共諧連理，於是找了這名男子做愛的替身，16 年來苦苦糾纏，靈媒表示，這名男子必須跟女鬼舉行冥婚，圓女鬼的心願，才能結束這場惡夢。

據報導，這名男子最後真的遵照靈媒的指示，跟女鬼舉行冥婚，燒了紙車紙馬，跟紙做的新郎和女傭人像，希望女鬼從此不再寂寞，不會再糾纏他了。

沒有死人的喪禮

—— 故事提供：喪Q ——

在新加坡一個墳場內，一個活生生的男子為自己舉行了一場沒有死人的「喪禮」，目的竟是為了增強自己的陽氣，免被鬼魂看中，成為鬼魂的替身！

厲鬼纏身，恐成鬼替身

原來，是一名 25 歲男子，覺得自己被鬼纏身，若不做點事，他快將成為靈體的替身，隨它而去。

15 歲車禍後出現癲癇

據知，這名男子在 15 歲那年遇到車禍，被兩輛轎車和一輛電單車碾過，昏迷不醒一天後才醒過來。

之後，他就常常出現癲癇症狀，手腳不受控制，眼睛翻白，吃了 10 年醫治癲癇症的藥都不見起色。平常孝順乖巧的他，有時候也會作狀要打家人。

於是，他找乩童幫忙，乩童建議他為自己辦「喪禮」，才能把他的魂魄招回來，讓他獲得重生。

據知，那天是星期六上午 10 時左右，10 多名工作人員就到墳場準備。30 名臨時請來抬棺的客工，和男子的28 名親友，隨後來到。

辦假喪禮，墳場睡棺 10 小時「扮死」

傍晚 7 時許，乩童念經，男子就穿上壽衣，躺入一副新的棺木內。乩童叫他出來之前，他都不可以出來，要躺在裡頭不能出聲，就像死人一樣。

他說，男子躺入棺木之前很害怕，但最終還是捱下去。

假戲真做，親人哭墳「送殯」

據知，現場還有蓋棺儀式，不過沒有真正下葬，只是埋了 3 副神像。

男子的家人都穿著喪服，拿著香和寫著男子名字的神主牌，周圍也有紙屋、紙人等祭品，場面就像真的喪禮一樣。

經過漫長的 10 小時後，男子於清晨 5 時許獲准「出棺」。他的家人過後把他的壽衣及祭品燒掉，象徵厄運離去。

性愛的替身

—— 故事提供：Win Win ——

據報導，新加坡一名出現嚴重性幻想的年輕男子路易斯，他聲稱有女鬼視他為性愛的替身，晚晚來纏，才使他滿腦子充滿淫念。纏身才會使腦袋充滿淫念。據他所指，一看見或想到漂亮女人就幾乎發狂，為滿足性欲，他經常接近模特兒、藝人和歌手，趁機拍下照片，貼在房間欣賞，情慾高漲時甚至會搞一夜情。

晚晚鬼來纏，慘成泄慾對象

性幻想使他精神渙散，無法專心工作，令他更感苦惱的是，儘管腦袋充滿淫念，但他和女性交往時，卻總想當個謙謙君子，懷疑自己人格分裂。

有靈界學者表示，該男子是被女鬼纏身，才會難以自制地產生性幻想。女鬼在該男子少年時代開始用魔力將淫念注入他的腦海，使他欲罷不能，自己也從中享受性快樂。男子後來進行禱告和服用鹽水以抵抗女鬼，欲念逐漸被消除。學者更指出，撞邪是指一個人遇到靈界的『髒東西』，從而做出意志無法控制的行為，如持刀砍人或歇斯底里喊叫。

貓妖的替身

—— 故事提供：雞頭 ——

寵物是人類的朋友，集萬千寵愛於一身。主人與寵物的故事，展示人類與動物之間的微妙情緣與深厚感情。許多寵物死後，主人和寵物仍難捨難離，主人將寵物骨灰放家供奉，讓寵物的靈魂永留家中，但愛，會否變成害呢？

供奉愛貓骨灰出事

五年前，Alfred 在寵物店買了一隻波斯貓，取名「咪咪」。咪咪好細膽，每次受驚後都會飛奔入 Alfred 間房一個櫃角匿埋。

主人溺愛，咪咪成萬千寵愛

五年來，Alfred 同咪咪一直相處愉快，但不幸的事終於發生。那天晚上約九點，Alfred 返到屋企，咪咪如常咁不斷哄佢，表現雀躍，Alfred 同佢玩了一會兒就出廳吃晚飯。忽然咪咪面向窗外，入神咁望住一個方向喵喵叫，跟住好驚咁極速跑去櫃角匿埋。Alfred 同屋企人不明白咪咪何故咁驚，Alfred 抱起不斷喘氣的咪咪，咪咪仍驚到騰騰震，Alfred 很擔心，直至深夜，Alfred 見咪咪已經熟睡，就安心上床休息，打算第二日帶咪咪睇獸醫。

愛貓離奇暴斃

第二朝起身，每日都會上床攪醒 Alfred 的咪咪，那天

早上竟然冇上床攪醒佢，於是 Alfred 走出廳睇睇，只見咪咪還在熟睡中，Alfred 就走過去搖一搖咪咪的身體，點知一些反應都冇，原來咪咪已經離奇暴斃！

痛失愛貓，Alfred 很難過，為紀念咪咪，就同家人決定將咪咪的骨灰，同埋生前咪咪玩過的玩具放在屋企作為留念。之後奇怪的事就開始發生……

每晚，Alfred 經常有意無意咁聽到咪咪的叫聲，屋企人認為 Alfred 過分掛住咪咪而做成心理作用。不過更奇怪的是，家人經常在地下撿到屬於咪咪的貓毛。

愛貓受惡靈驚嚇致死

有一晚，Alfred 媽媽見到 Alfred 從熟睡中忽然由房爬出廳，而且不斷喵喵叫，眼神好凶，媽媽大力想拍醒 Alfred 但無效，Alfred 忽然變得力大無窮，一家人都捉唔到佢，家人更加發現 Alfred 的指甲變得好長，不斷抓向其他人，Alfred 爸爸再用一盤凍水淋佢，Alfred 全身軟曬攤向地下，不久就爬返入房一個角位匿埋，但那個角落根本容不下一個人，但 Alfred 照樣屈曲身體匿埋入去，Alfred 還向角位不斷努力咁抓呀抓。

貓靈進佔主人身體

家人直覺 Alfred 係咪咪上身，爸爸忽然諗起咪咪生前每逢臨睡前都會玩毛巾，於是找來一條毛巾俾佢，果然 Alfred 見到毛巾之後就不停抓住玩，唔夠五分鐘，Alfred

就乖乖睡去了。

第二日，Alfred 家人請來一個法師。法師有備而來時，Alfred 好似知道法師的來意，用凶狠的眼神望住法師。

人貓合一，法師念咒驅趕

法師嘗試先唸經文，希望以和平方法令貓妖知難而退，不過貓妖法力都相當強，亦唔願意放棄 Alfred 身體，法師唯有用武力對付，經作法之後，貓妖慘叫一聲，Alfred 就軟弱無力地軟癱在地。

原來，咪咪當晚受到靈體騷擾，受驚致死的。咪咪死後，因為留戀人世，而且想念 Alfred，而 Alfred 又將佢骨灰放家供奉，令咪咪靈魂能夠長留家中，唔願意從正軌輪回再生。貓始終係畜牲，佢不自覺吸收人間靈氣，令佢變成一隻妖物，試圖想索取 Alfred 人命，妄想成為他的替身生存下去。

妖精越洋搵替身

—— 故事提供：索姐 ——

6 年前，Zenix 跟隨一群好朋友到中國旅遊。

Zenix 與一名友人同房，當 Zenix 一踏入酒店的房間內時，她忽然就感到全身很不舒適，有股壓力按得她很辛苦，同時背部好像有一股冷風在吹著她。她以為是坐了長途飛機，才會有這種不舒適的感覺，所以沒有理會。她沖過涼後，就上床休息去了，而她的同房朋友也同樣上了床就睡了……

耳邊傳來「踏……踏……」腳步聲

「踏……踏……」

突然，有人走路的腳步聲傳來，好像有一個人一直在房中穿著拖鞋走來走去，一時去開門，一時走到她的床邊，一時又走開，一時又去移東西，總之整晚都沒有停過。

聲音一直不停的傳進 Zenix 的耳朵，搞得她睡了又醒，醒了又睡，Zenix 很煩，心中一直罵她的朋友，這麼晚了也不睡一直走來走去。但她又不好意思發作，就忍了下來，打算明天再跟她投訴。

第 2 天一早，Zenix 一起身就忍不住問她的朋友為甚麼昨晚一直走來走去，豈料，朋友竟睜大著眼睛反問昨晚在房裡走來走去不是她嗎？

這時，她們兩個都對雙方的回答都感到驚訝！Zenix 開始感到有古怪的東西發生了，但她卻一直安慰自己，也許是她的朋友夢遊，不知道自己做過甚麼。

Zenix 想到這裡就把事情放在一邊，因為她是為玩樂而來，並不想心情被這件事情破壞，所以也就不要想太多了。那一天，Zenix 玩得很盡興。

當天吃完晚餐後，就結束了一天的旅遊，Zenix 一進到房中，就睡到床上去了，連涼都懶得沖，迷迷糊糊的睡著了……

靈體耳內吹氣

「踏……踏……」這一次的走路聲比昨晚的更大聲，Zenix 感覺到它慢慢的走到了她的身邊，這時 Zenix 感到有一股冷風吹來，冷得她入心入肺，但她實在太累了，也不去管它，哪裡知道，這陣風忽然吹向她的耳朵，吹得她全身起雞皮，這時她真的忍不住了，馬上跳了起來站在床上大罵她的朋友「夠了啊！我要睡覺的！」

腳步聲更趨厲害

四周一片黑暗，同時也顯得很寧靜，這時站在床上的 Zenix 呆若木雞，她的朋友明明就好好的睡在自己的床上，那麼向她吹氣的是誰呢？走路的哪個又是誰呢？

Zenix 這時心中一直圍繞著這個問題：「到底是誰呢？」

接下來的幾天，Zenix 曾要求換房，但是酒店的房間全都爆滿，無法為她換房。這個聲音卻一直都沒有停過，最過份的是，它還變本加利，時不時都去扯 Zenix 的腳，令到她晚晚不敢睡！

好不容易捱到旅程完畢，大夥兒乘飛機返新加坡屋企了。

體內有股抓摸不清的氣體

歸家後，Zenix 仍覺得不適，她感覺到有一股抓摸不清的氣體，就如一個有生命的動物，不停的在她身體裡鑽動著，更時不時的鑽到心臟裡去，並感到血液無法流通到全身，呼吸困難。

起先，Zenix 只是在每個早上才會有這種感覺，到了後來，差不多每個小時就發作一次，每次發作時都令她痛

▲惡靈侵佔了人體後，會令人怪病纏身，痛不欲生！

得死去活來，心臟好像隨時都會停似的，那股氣流鑽到哪裡，她就痛到那裡。

怪病纏身，痛得地下打滾

後來 Zenix 連街都上不得，因為每一次發作她都會抱著身子在地上打滾，這樣才可以減輕一些她的痛苦。

家人看在眼裡非常擔心，就帶她去看醫生，但醫生卻說她沒有病，換了另一個醫生，也得到同樣的答案。

在一年的時間裡，她一共看了至少 10 來個醫生，結果答案都是一樣。

直到有一天，某個曾與 Zenix 一同到中國旅遊的朋友來拜訪她，知道 Zenix 被怪病纏身，就一時想起，這也許跟中國那件怪事有關，因為自從中國回來後，Zenix 就中了怪病。

一言點醒夢中人，Zenix 越想就越覺得她的病及中國那怪事有關，就在朋友的建議下，到神廟拜拜及問神，結果得到的結果是，她弄到了骯髒的東西，神廟裡的靈媒給她一些符咒，說喝了就會好。

一股青色氣體圍繞著

但 Zenix 喝了那些符咒後，並沒有好轉，結果她再和友人去另一間神廟求醫，但就是不能好。後來 Zenix 聽朋友說，有一間神廟很靈的，於是就到那裡求醫去了。

神棍處處，無人能治癒怪病

這一次，那位靈媒獅子開大口，要求幾千元醫她的病，Zenix 聽到了就嚇了一跳，回到家就和老公討論這件事，結果老公也不同意這個靈媒的做法，就想起其實他本身的師兄也是道教師父，就帶 Zenix 給他的師兄醫治。

一到了神廟，Zenix 就開始全身出汗，心裡有股壓力一直都不讓她進去，最後眾人要合力硬把她抬進門去。

一進到裡面，Zenix 全身一直都在微微發抖，這時法師看到 Zenix 的身體周圍，被一股青色的氣體圍繞著，經驗告訴他，Zenix 被妖上身了。

一開始，法師在 Zenix 的面前念咒，這時 Zenix 抖得更厲害，雙眼反白，全身無力的軟在地上，要有人扶著才可以勉強站著。法師唸咒後，就馬上畫張符及開些中藥給她喝……

在法師的細心照顧之下，這一次，果然見效了，Zenix 的痛苦一天比一天少，而那氣體也一天比一天少，過了兩個禮拜後就全好了。

毛毛公仔搵替身

—— 故事提供：B 仔 ——

不少女生都喜歡將毛毛公仔擺滿一床，她們最愛夜晚抱著個公仔睡覺，有些更會與它說話，替它起名，將其看成是自己的密友一樣。但別以為與公仔做朋友只係小事一樁，皆因在美國就曾傳出一宗毛公仔被靈體附身，向主人索命追魂的事件……

Susanna 是個 18 歲的女孩子，由於是獨女的關係，因此一向極受家人的寵愛。Susanna 很喜歡毛公仔，而且更擺滿了整間房，不過她最「寵愛」的則是一隻名叫「兜兜」的熊公仔和另一隻名叫「谷谷」的小公主娃娃。

這兩隻毛公仔可說是和 Susanna 一起長大，親近非常。它們這些年來一直睡在 Susanna 旁邊，本來一直相安無事，但當她一家搬到新居後，怪事便相繼發生……

睡夢中聞怪聲

Susanna 的新居位於郊外，那裏的面積很大，而她的睡房就在二樓，Susanna「安置」好她所有寶貝毛公仔後，便準備開展新生活。第一晚總算相安無事，但怪事就在第二晚發生。當晚 Susanna 臨睡前和「兜兜」傾偈後，便抱著「谷谷」睡覺。但當她漸漸進入夢鄉時，卻在朦朧間聽到有人在說話，那些聲音更是非常接近，就像在她耳邊囈語一樣。

▲可愛的洋娃娃隨時變成催命符

被娃娃捏頸兼抓臉

Susanna 於是嘗試細心去聽，可是她卻突然聽到自己的名字，到底是誰在自己耳邊低喚著呢？此時她整個人都清醒了，於是便轉身去看個究竟。

當她一張開眼時，竟然發現說話的就是「兜兜」，而旁邊的「谷谷」更露出非常詭異的笑容。此時 Susanna 已被嚇得半死，究竟它們想幹甚麼？

突然，「兜兜」騎在 Susanna 身上，然後更用手緊握她的頸項，而「谷谷」則在旁看著，並幽幽的說：「你要做我哋嘅替身……」

秉夜搬屋避禍

快要窒息的 Susanna 已無力呼救。此時一直旁觀的

「谷谷」竟狠狠地一口咬在 Susanna 的面部，令她登時血流如注。幸好在最危險的一刻，Susanna 的父母因為聽到怪聲便推門而入，大驚的他們更用力將「兜兜」和「谷谷」拉開，然後帶著受傷的愛女逃出家門，並送她到醫院。

翌日，她的父母立即找來一位法師幫忙，法師見狀立即勸他們一家搬屋，否則怪事只會陸續有來，甚至會危及性命。後來那法師更說，由於 Susanna 自小便經常對「兜兜」和「谷谷」說話，經過多年的「接觸」後，加上吸收了他們一家人的「人氣」，令他們逐漸變得像有靈性的人一樣，而匿藏在他們新居中的惡靈，便因此看中它們的靈性，於是便借機上了它們的身，希望藉此殺死 Susanna，讓他自己可以投胎再生。Susanna 的父母聽後，便嚇得秉夜搬走，可憐 Susanna 的面部卻留下了一道深深的傷痕，但其實她能夠撿回性命已算好彩了！

水鬼

—— 故事提供：鬼王 ——

人有惻隱之心，見到有人遇溺，懂得游水的你會下水救他嗎？相信你一定會的。也許人和鬼的尺度不一樣，我們憑著良知去救人，有些鬼卻認為我們是好心做壞事而伺機報復，究竟是否人不如鬼？

好心救人反累己

這個故事發生在一個鄉村地方，村內沒有甚麼娛樂設施供小朋友玩耍，所以平日村裏面的小朋友都會走去村口的那個池塘游水。在一個炎熱的夏天的中午時份有一位鄉民 Tony 路經這個池塘時，見到一名小朋友 B 仔大嗌救命，於是 Tony 第一時間跳落水將 B 仔救咗上水。

B 仔終於大步檻過從鬼門關走番出來，過了幾日不幸的事終於發生在 Tony 的身上，在同一個地點（水塘）同一時間（中午）時份。主角是 Tony 的乖仔阿富在水塘游水時不幸遇溺，當村民發現時已經返魂無望。

水鬼趕住投胎，急搵替身

當時 Tony 收到這個消息口中念念有詞：「點解會咁？！我咁好人救咗人哋個仔，點解到自己個仔有事就無人救到佢㗎。」

事件過了幾個星期，但每晚 Tony 仍發著同一個夢，

夢中佢見到自己個仔阿富不停地流淚⋯⋯

　　每次夢到這個情境 Tony 都會被驚醒。如事者一連幾晚都發此夢，夢中阿富好似有事要向 Tony 講。每次當個仔要開聲時，Tony 就會驚醒。

　　為了知道兒子是否有心事未了，Tony 決定去找問米婆問個究竟。經過一輪儀式，兒子的陰靈上了問米婆身上了，Tony 急不及待地問夢境的情況和個仔有乜嘢未了的心事。阿富透過問米婆的口問爸爸是否在佢出事的前幾天在同一個池塘救過一個人上水，Tony 回答「係」，阿富話自己是水鬼害死的，原來 Tony 當日救咗個小朋友，令水鬼搵替身失敗，所以逼不得意搵 Tony 個仔頂替。因為每年鬼仔都會有一星期的時間上來搵替身，如果過咗時辰就要等出年啦！鬼仔話佢長期浸係水入面好辛苦，所以先逼不得意上嚟搵替身。

　　原來佢已經浸咗係水二十年啦！五歲那年跟母親去探外婆時遇溺的。最後，阿富很懂事地說：「爸爸你不要責怪自己。我今次叫你嚟只不過話俾你聽叫你要堅強活下去，媽媽妹妹要你去照顧的⋯⋯」講完就走咗去，從此 Tony 都冇再發此夢。

　　原來傳統上，每次救了人上水，要除下獲救者的衣服，在衣服裡放幾顆石頭，包好後拋番落去救人的地方，意思係等個水鬼以為已經搵到替身。Tony 冇做到，所以最後就

賠上了自己個仔⋯⋯

附錄：水鬼找替身的方法

第一，幻化成紅色的大鯉魚，引誘河邊的人去捉它，然後將人引入河裡最深的地方活活弄死。

第二，幻化成小孩喜歡的東西或玩具，讓小孩自己下水。

第三，乘婦女在河邊洗衣服，拖走衣服，將婦女引下水，不過，不是每次衣服被水沖走，都是水鬼弄的，所以要看清楚衣服的速度和動向，假如衣服漂動速度很快又是直接往河中漂，那麼千萬要小心了。

第四，在鄉下比較多，就是老人帶著自己的孫女或孫子去河邊洗東西，那時千萬不要讓年歲過小的孩子獨自在河邊玩，水鬼會將小孩拉下水。

第五，幻化成我們沒見過的東西，利用人的好奇心下手。

第六，變成你感興趣的異性類型，坐在河邊哭，然後你走過去，他（她）會求你幫他（她）一個忙，就是叫你幫他去河裡找丟掉的東西，最終你一去不返。這種鬼，一般都有很高的怨氣，可以變成你喜歡類型的人，利用你的愛心，完成他的「大業」。

第七，幻化成熟透的各色水果或錢幣，各種昂貴的首飾之類有價值的東西，引誘人的貪心害人。

睡在死人的上面

—— 故事提供：細紋 ——

阿強有一次恐怖經歷，使他至今也難以忘記。

話說阿明與朋友過了澳門玩，後來因玩得太夜，趕不及上船回港，便連夜找酒店。終於他和友人訂下了一間雙人房，房內有兩張單人床讓他們各自睡一張。

到了半夜時分，友人阿強不慣睡陌生床而久久不能入眠，無意中發現鄰床熟睡的阿明身上不斷冒出白色的煙，他很害怕，於是慌忙叫醒阿明。阿強把剛才所見到的景象告知阿明，阿明難以置信，還取笑阿強眼花呢！

第二天回港不久，阿強和阿明都不約而同病倒，及後阿明更在一宗交通意外中身亡。阿強一直認為事有蹊蹺，於是開始查探這間酒店過去那麼多年有沒有發生過甚麼事件，結果，他發現這間酒店曾發生兇殺案，死者被殺後更被包裹埋在酒店房中的床下，令人震驚的是案發地點、位置與阿強和阿明當日的一樣，阿明更是睡在死者的上面……是否冤死的鬼魂找阿明做替身？如果情況真是這樣，阿明死得實在太冤枉了，可是一切無法挽救，阿強只好幫他超度一場使阿明安息吧！

墨魚妖精上岸搵替身

—— 故事提供：鬼王 ——

　　大明自小在鯉魚門長大，潛泳對人也來說並非難事。這天，他又到附近的水塘泳。

墨魚突伸出怪手

　　在最後這一轉，他便試圖往較深水處潛下去，突然眼前一亮，只見一隻重近三斤的墨魚盤在一片大石上。心想：今日真夠運，除了有炒蜆，還有炒墨魚佐膳，旋伸手直往墨魚探去。豈料就在兩手觸及墨魚之際人，墨魚的一對觸鬚突然變了一對手，並向大明的雙手擒來，他被嚇至心膽俱裂，迅速游返岸邊，以第一時間收拾各物歸家。返家後大明仍然忐忑不安，大明相信他不是眼花。

釣墨魚場常出命案

　　三個小時後，大明撞到異物的現場發生命案，一對小兄弟在上址暢泳時樂極生悲，兄長遇溺失蹤，弟弟在遍尋不獲後報警求助。蛙人奉召到場經近二十分鐘搜索，在大墨魚的大石上尋獲男童的屍體。意外發生後有街坊竊竊私語，原來上址海面自一九七零年後，每年均發生事故，不是有人意外失足墜海便是遇溺喪生，疑是鬼魂在上址找替身。能逃離墨魚妖精的鬼手，大明覺得自己很幸運，這種幸運一點都不值得高興，他僥倖逃過一劫，卻有另一個孩子糟殃……

大鬧軍營搵替身

—— 故事提供：冬菇頭 ——

大明是一個駐守海外彈藥庫的士兵，經常聽到其他同僚在軍中經歷的鬧鬼故事，他一直非常害怕，尤其要在晚上駐守的話，他更會打醒萬二分精神，有時甚至隨身佩戴一些辟邪飾物。

怎知在某年鬼節的晚上，小心至上的他也難逃惡鬼的魔掌。

傳來淒厲聲

當晚他被安排晚上 11 時至凌晨一時巡邏，大約巡邏到 12 時左右，他忽然聽到一把很淒厲的年輕女子叫聲，他感到非常奇怪，心想：「在營區方圓 3 公里內，完全沒有任何民宅，只有山路一條，對外還有另外兩個管制站，根本不可能有人進來，怎樣會有女子？」他想可能是錯覺，所以猛叫自己不要胡思亂想，其實卻很害怕，拿起電話聯絡管制站查問是否有人進入管制區，對方回答：「沒有。」可是仍然有把女聲在叫嚷，在好奇心驅使下，他決定要查明真相，發現聲音由一個廢棄的小營房內傳來，他亮著手電筒，一步一步的進入房內看個清楚。

牆壁變大海

在微弱的光線下，大明看到屋內一幕可怕的情景，本

來的一堵牆壁，竟然變成大海，而一個女子正在海中不斷叫著，她淒厲的聲音已經令人嚇破膽，更可怕的是她的肚子因喝太多水而像一個大鼓，臉上的眼睛只剩下兩個黑洞，並不時有蛆爬出來，慢慢的、一條一條的，向大明身邊飄過來。他大叫：「今次我完了！」

幸好這時，外面傳來狗吠聲，之後一個黑影向女鬼撲去，他忽然不知那來的力量，拔腿就跑至衛兵哨崗，那兒有兩個學弟駐守，3人見面後，其中一人問大明：「學長，你有沒有聽到女人的叫聲？」大明立時面色一沉，3人心知不妙，互打眼色，沉默不語的等待天亮。

遇意外橫死

終於到了天亮，軍中不少人均遇上怪事，如有人身上發現被「鬼打印」，整個胸口都是黑手印，至於大明及兩個學弟則整整發高燒一個禮拜，一同入院治療，其中更有1人逝世。軍中更連續死了3人，全是意外死亡，如溺死、開車墜崖等。有人在倉庫中發現1隻七孔流血的黑狗，眼睛還是張開的，死狀可怕。

接二連三的發生怪事，附近的村民便請來道士，他說這裏有6隻鬼，都是海難而死，這次是來找替身。由於靈體來自海上，魔力特別厲害，在作法期間，多個乩童被鬼上身後，自行撕破衣服，而且身上還有很多黑手印及抓痕，其中一個乩童更辛苦地叫著：「放我走！我不甘心……」

有入無出⋯⋯

—— 故事提供：粉皮 ——

傳說中水鬼十分兇猛，他們能隨水漂流，神出鬼沒，能長時間吸收水中靈氣，修煉更高道行。即使存在於水池當中的水鬼也不能小覷，因為水池能積聚陰氣，再加上水鬼本身如果怨念極重的話，就會四出害人。

事件發生在某年的聖誕節假期，在台灣讀高中二年級的小儀和幾個要好的同學相約去郊外旅行。那裏景色怡人，她們一邊遊覽一邊四處拍照，玩得不亦樂乎，不知不覺間天色已經昏暗，她們就跑到附近看一看有沒有旅店可以借宿一宵。

入住荒廢大屋

她們找了不久，只看到前方的樹林露出一排排的房屋，原來是一條小村落，街上只有一間細小雜貨店，她們就去問雜貨店的老闆，老闆表示這裏很少人會來，所以沒有旅店或者民宿之類設施，不過村後就有一間荒廢了的大屋，想入內住一晚應該沒有問題。由於她們人生路不熟，對入住這種被人荒廢已久的大屋依然猶豫不決，雜貨店老闆就說：「這裏雖然人煙稀少，不過治安還算好，只要不走進大屋內的庭院水池就沒有問題了，千萬要記住啊。」他說完就走了。

同學全部昏迷

小儀等人見沒有其他選擇，只好無奈入住這間大屋。由

於大家年輕、又活潑好動，很快便忘記雜貨店老闆的囑咐，有些同學更走到庭院水池互相擲石玩樂，她們嬉戲了一個小時左右就一起回到大屋就寢了。可是，當小儀睡到半夜，忽然感覺到身邊陰風陣陣，凍到她也醒過來，這時屋外更傳來連串的怪聲。她本想推醒旁邊的同學出外看個究竟，但無論怎樣叫怎麼推也沒有用，大家像陷入昏迷狀態一樣。這時，小儀就聽到一陣「咯咯」的可怕笑聲。刺耳又陰森的怪笑聲剛停下來，小儀便聽到大屋四周有一把陰沉的女人聲音：「嘿嘿……你們已被我的陰氣鎖住，過一會就會成為我的替身！嘿嘿……」

引火趕走女鬼

可能由於小儀身上佩戴了一塊辟邪古玉，所以免於一劫。這時小儀大力握著那塊古玉壯壯膽，她驚慌地說：「你是甚麼……怪物呀？為甚麼要我們做替身？」

女鬼就說：「我是生前死在那個水池的女孩，我等你們做替身已經等了很久啦！哈哈哈！」

小儀立即衝出屋外，看到院子的水池出現一個漩渦，當中有一條人影隱隱升上來，應該就是那隻女鬼了。她蓄著長髮，整塊面已腐爛不堪，正緩緩飄到小儀身前。這時小儀人急智生，想起大屋的廚房還有一桶火水，不理女鬼糾纏，就衝去廚房把火水取出倒進水池內，然後用身上的火柴點著火水。水池登時火光熊熊，那長髮女鬼驚呼一聲就消失了。

同學們一個接一個甦醒過來，她們雖全身無力，不過總算逃過大難。

開鬼眼的辦法

—— 故事提供：鬼王 ——

怎樣得到陰陽眼，坊間一般流傳的方法有塗牛眼淚、與死人交換眼角膜、讓茅山術士開陰陽眼等，其實相傳還有以下 11 種方法。警告：以下方法是民間流傳，全無科學根據，本社旨在讓大家認識一下民間的文化，不鼓勵大家以身試「鬼」，萬一有任何意外，本社慨不負責。

◎ **方法 1：利用柳樹葉**

將新鮮的柳樹葉沾濕水抹在眼上。

◎ **方法 2：在白飯上插香**

在午夜時分，拿一碗白飯，插上三支香，放在十字路口，選越黑暗的地方越好，最好是沒人經過的，然後等香燒完，再把飯吃下去，因為這時飯中早已注滿了遊魂野鬼的至陰之氣，所以，很快你就可以進入靈界之門。

◎ **方法 3：到陰氣濃厚的地方**

當午夜 12 點以後，到陰氣濃厚的地方，如出事地點、墓地、人煙稀少的日地方，把胸部近離地 3 吋之地（胸前有八卦，是人的陽氣所在，這個動作會把陽氣蓋住），這時往四周看一下，就會看到一堆孤魂野鬼在你四周......

◎ **方法 4：請鬼吃飯**

鬼很多時候都很迷惘，它們只知道自己不再活著，卻

無法理解自己已死的事實。當你敲打食物的容器，這個特殊的聲音可能會喚起它們生前的部分記憶，它們會食指大動，不自覺地循著聲音走去，期望可大吃一頓。

步驟做法：

· 準備三份豐盛的晚餐

· 凌晨三點，把準備好的食物放在道路交叉口

· 點燃三根蠟燭，持續用筷子敲打碗的邊緣

· 所有動作都不能停下來，直到食物被吃光為止

· 最好選擇最近有車禍發生的地方。

◎ 方法 5：捉迷藏

遊戲方法：

· 半夜帶一隻黑貓到公園去

· 所有玩家必須摸著黑貓許願

· 開始玩捉迷藏遊戲

· 若有玩家遲遲沒有現身，讓黑貓找尋他

· 黑貓會帶大家找到那個玩家，找到後大家會發現那個玩家正正站在鬼的背後……

· 為免黑暗中看不清楚，可以在黑貓身上綁個鈴鐺。

◎ 方法 6：死屍泥

想親眼見鬼，你必須找到它們葬身的泥土！

剛下葬死者的殘餘氣味會被土壤所吸收。

警告：絕對不要帶太亮的燈光，

遊戲方法：

· 挑選一個墓，用黑色衣服蓋住墓碑；

· 挖至少三呎深的土；

· 用一張紙緊緊包住土壤，放火燃燒；

· 當紙燒成灰燼，土壤就要開始產生作用了；

· 站在墓碑後面，用黑色衣服包住你的頭；

· 把燃燒過的土壤塗在你的眼瞼上，然後你就會看到……

· 遊戲結束後，請準備一個消毒器來清潔自己。

◎ 方法 7：兩腿之間

身體向前彎下腰，從兩腿之間向後看，你會看到另一個世界的通道。但是當你吸引到任何「過路客」注意時，你必須馬上停止這個動作。鬼會誤以為你是準備要出生的胎兒，正邀請它來投胎……

警告：

· 在滿月的深夜兩點，找一條死巷，確定你看得到月亮；

· 脫掉你的鞋子，背對牆，腿張開；

· 在你的兩腿下方點燃一香爐；

· 盡你所能多聞一點香氣，憋住氣，彎下腰往後牆看去；

· 記住戴帽，以免燒到頭髮。

◎ 方法 8：陰陽門

家裡有鎖死很久的門嗎？可能有「人」24 小時使用它……你強行推開這些門，就等於闖進它們的世界……

遊戲方法：

- 選擇其中一間荒廢已久的廢屋
- 找出屋子裡已經鎖死很久的房門
- 在腰上綁一條長繩子，找一位朋友拉住尾端
- 在門的四個邊角，各放一面小鏡子
- 半夜，徒手用力打開那個門，並直直往前衝……
- 找一個值得信賴的朋友，確信他不會放開繩子，若有危險，他會把你拉回來。

◎ 方法 9：午夜大哭

　　無家可歸的鬼是最悲哀的！它們想哭，眼淚卻是乾的。流浪的鬼魂大多是自殺死的，它們永久困在時間和空間裡，不停地重複自殺的動作。備受煎熬的它們希望不想人們再犯如此錯誤，所以它們訴諸最毛骨悚然的方法，以免別人重蹈覆轍。

　　警告：千萬不要獨自哭泣。

遊戲方法：

- 走進半夜三點到無人的街道；
- 回想你這輩子最痛苦的遭遇，然後發自內心地哭出來；
- 哭的時候慢慢向後走；
- 如果有陌生人靠近你、同情你，請告訴它你不幸的遭遇；
- 此時，請朋友從陌生人背後確認它，看人的背影就知他是人還是鬼。
- 如果你很害怕，不想再看下去，停止哭泣，抹乾眼淚即可。

◎ 方法 10：辦假葬禮

穿上壽衣，模擬自己的葬禮，是把自己推向陰間的方法。

遊戲方法：

・買一套最適合在自己葬禮上穿的壽衣；

・偷偷溜進辦喪事的人家，記得要帶一張自己的棉被；

・找一具棺材，將棉被覆蓋在屍體上；

・點燃一根至少有 11 吋長的香；

・將你的手錶調整到 12 點，並停止手錶繼續走；

・到棺材裡躺下，閉上眼睛，你就會進入陰間；

・你必須在香燒完前回來，否則，你永遠都無法回來……

唔想再見鬼，可以怎辦？

—— 故事提供：鬼王 ——

有五種人特別容易有鬼眼：

1. 陰陽眼

有此眼相的人是一隻眼很凸及眼神外露，而另一隻卻剛好相反，眼小而神弱。由於兩隻眼有明顯的差異，令這種人的情緒起伏不定，性格怪異，常生幻象，人生際遇也隨之大起大跌，正因很多事也未能稱心如意，他們總覺得很「邪」，易生幻覺，故特別容易撞鬼。

化解方法：

在深弱而無神的一隻眼上畫上眼線，使其更有力，以取平衡，為人亦要講信用，口要對心。

2. 邪眼

眼神代表人心，若果一個人經常眼睛斜視，即表示其心術不正，加上眼神又弱，眼珠像沒焦點那樣浮起來，難以集中，這類人常常會疑心生暗鬼，迷信得來心又邪，會做出有歪常理的事。

化解方法：

訓練自己，盡量保持正視任何人和物，不要斜視。

3. 四白眼

四白眼即是眼珠四邊都現眼白，有這種眼相的人，八

成都會撞邪。其性情兇狠暴戾，為人神經質，常以小人之心度君子之腹，經常懷疑別人對他不利。加上這種人大多心地不好，做了不少有損陰德之事，因而會在三十至四十歲間出現精神及心理上的毛病，是撞鬼的高峰期。

化解方法：

  應佩戴眼鏡，以茶色鏡為佳，忌用藍鏡。

4. 暗藍纏眼、眼白現藍色

眼睛四周有暗藍色是極為不祥的預兆，表示身體內臟機能含有毒素或出現病變，影響到神經系統，常遇不尋常或是見鬼的現象。眼白呈現藍色者，則易被鬼上身，顯示身體可能已被毒素所侵，如吸毒者或中了南洋一帶「降頭毒」的人，都會有此徵狀。

化解方法：

  別佩戴眼鏡，以免遮擋了眼神。少往亞熱帶地區、少食熱毒和刺激性食品，應戒煙酒。

5. 陰氣太重、雙目無神

滿面晦暗之氣、毫無光澤，雙目無神者，表示人生正陷入落泊倒楣之境，有如行屍走肉，做任何事也提不起勁，正因為時運低，故特別招惹鬼魂。

化解方法：

  減少夜生活，應早睡早起，要有充足的睡眠。忌躲在家中，應多見陽光，做適量的戶外活動，為人要積極樂觀。

唔想做替死鬼，自保有辦法

—— 故事提供：鬼王 ——

唔想被鬼搵替身，以下六項注意事項你一定要記住：

1. 棺材舖咪亂望

鬼魂最鍾意匿藏在中空之物內，例如：骨灰盅、空棺材等，皆因這些物品都是它們最後的家。大家行過這類店舖門口時，都是少走近為妙。

2. 神像要開光

未經開光的神像全無靈氣，必須要有道行高的法師唸咒施法，然後用朱砂開光點竅通靈，才能產生靈氣。如神像未經開光卻又有香火供奉，會引來邪靈垂涎，附身其中。

3. 風鈴勿亂掛

在家裡掛風鈴很容易惹鬼！當你掛上新風鈴時，陽氣還未夠，鬼怪便會躲在裡頭吸取屋主的氣，然後作出復仇大行動。

4. 二手衫留霉氣

死人因陽氣消失，著起死人舊衫，不但會吸取其惡運，更會散發出陣陣死亡氣息，遊魂野鬼收到信號，自然會搵替身。

5. 大型海報聚陰氣

不少人都會在家裡擺放自己的大相，或將心儀偶像的海報貼滿牆。不過擺放相片同張貼海報時，切忌對正窗戶，尤其是西斜單位，日光少、夜光多就更加唔好，因為相片同海報如果對正窗戶就會吸聚月亮精華，日子有功，便會積聚陰邪之氣。

6. 亂執零錢易惹禍

古語有云，跌出去的錢必屬不幸之錢，最好不要執拾。而且有些人在祭祠驅鬼時，會將零錢四處亂撒，以作為給鬼魂的買路錢。所以做人千萬不要貪心，隨街執錢已經夠肉酸，仲要同鬼爭買路錢，咁就肯定會惹禍上身。